Cocina
Mexicana

Mexican
Cooking

Beatriz Cadena

Cocina Mexicana

Mexican Cooking

MONCLEM
EDICIONES

COCINA MEXICANA • MEXICAN COOKING
Traducción: David Castledine
Dibujos: Heraclio Ramírez
Primera edición: 1996
Quinta reimpresión: 2000
Copyright © by Monclem Ediciones, S.A. de C.V.
Leibnitz 31, Col. Anzures 11590 México, D.F.
Printed in Mexico
Impreso en México
ISBN 968-6434-59-3

Índice

Index

7
Ensaladas

7
Salads

8
Legumbres

8
Vegetables

9
Huevos

9
Eggs

13
Moles

14
Tamales

15
Carnes

16
Pescados y mariscos

16
Fish and Seafood

Introducción:
Cocina Mexicana

La cantidad y diversidad de platillos que componen la cocina mexicana actual tienen su origen en una antigua tradición indígena que se remonta a la época prehispánica que, después de la Conquista, recibió la influencia de productos, ingredientes, carnes y formas de preparación que fueron introducidos por conquistadores primero y colonizadores después.

Los diferentes grupos indígenas mesoamericanos elaboraron su comida en ollas y cazuelas de barro, principalmente con maíz, frijol, chile y calabaza que se combinaban con carne de guajolote, faisán, codorniz, pato, venado, conejo y pescado que se obtenían de la caza, la pesca y, en menor grado, de la domesticación, así como con algunos vegetales como el jitomate y el aguacate. Con maíz también preparaban atoles y masa para

formar tortillas que se cocían sobre un comal de barro, y bebían atole, chocolate y pulque.

En ocasión de las festividades en honor de sus dioses preparaban diversos platillos que consumía toda la comunidad, como los tamales tanto de masa de maíz como de semillas de amaranto y distintos guisados destacando el que los cronistas denominan "cazuela de gallina" que se elaboraba con carne de guajolote, chile, jitomate y pepitas de calabaza molidas.

El maíz que comenzó a cultivarse 7000 años antes de Cristo era venerado por los pueblos mesoamericanos, se hacían rituales en su honor y se mencionaba en su mitología. Se consumía de diferentes formas: hervido cuando la mazorca estaba tierna, desgranado y preparado con carne o molido y en masa para tamales y tortillas. En la actualidad sigue siendo básico en la cocina mexicana y se conocen más de 500 productos derivados de él.

El chile fue, y es, igualmente importante y se estima que existen aproximadamente setenta variedades diferentes sólo en México. Los más utilizados en la preparación de platillos típicos son los rojos que se usan secos y los verdes que se consumen frescos; los nombres de los chiles varían de un lugar a otro y, entre los más conocidos, se pueden citar: pasilla, negro, chipotle, poblano, ancho, serrano, cascabel, piquín, manzano, de árbol, mulato, cuaresmeño, jalapeño, guajillo y habanero.

Con la llegada de los españoles los hábitos alimenticios se fueron modificando, ya que trajeron cereales, legumbres, frutas, carnes, especias y aceites, así como utensilios de diferentes materiales y variados métodos de preparación, en consecuencia durante el siglo XVI tuvieron lugar muchos cambios gastronómicos. Los animales: vacas, cerdos y gallinas (de Castilla, para diferenciarlas de los guajolotes, llamados gallinas de la tierra) se aclimataron, los cultivos se diversificaron y se empezaron a consumir nuevos productos como el pan.

Los mencionados cambios se realizaron de distintas formas en cada región, lo que a la larga dio origen a la comida regional, en el norte, por ejemplo, prosperó la cría de reses y cerdos, tornándose en una actividad económica primordial desde la segunda mitad del siglo XVI y, debido a la necesidad de conservar la carne, se elaboraron la cecina, la machaca y el chilorio que aún se preparan en la actualidad.

Los españoles pusieron interés en sembrar trigo, caña de azúcar, vid y olivo, así como el cacao nativo que tuvo gran aceptación, mientras que los indígenas continuaron sembrando maíz, chile y calabaza y los tianguis o

mercados siguieron funcionando con objeto de abastecer a la población de los productos necesarios para la elaboración de alimentos.

En la cocina novohispana, a lo largo de la Colonia, se combinaron los productos e ingredientes llegados de Europa con los de cada región del país conquistado y las nuevas recetas iban pasando de una a otra persona de boca en boca mediante la tradición oral. Las recetas escritas son escasas y, las pocas que se conocen, pertenecieron a las monjas de diferentes conventos. El recetario más antiguo del que se tiene conocimiento es el que Sor Juana Inés de la Cruz escribió para su hermana, con 37 recetas del convento de San Jerónimo, incluyendo primordialmente platillos dulces que eran la especialidad de las monjas y, en el citado recetario, se pueden apreciar ya algunas preferencias culinarias características.

Sin embargo, fue hasta el siglo XVIII cuando aparecieron muchos platillos ahora considerados típicamente mexicanos, como el pipián con almendras que se elaboraba en el convento de Santa Catalina. Asimismo en otros conventos de la ciudad de México, Oaxaca, Puebla, Querétaro y Michoacán se empezaron a preparar bebidas, guisados y postres que enriquecieron la gastronomía del país, tales como ates, rompopes, sopes, pipianes, quesadillas y, en especial, moles y chiles tanto rellenos como en nogada. Según se cuenta, aunque no hay nada escrito al respecto, el mole de guajolote se originó en el convento de Santa Rosa en Puebla, por lo que se le llamó mole poblano.

Por lo que se refiere a las bebidas, los indígenas del centro de México consumían pulque o atole de origen prehispánico cuya denominación proviene del náhuatl *atolli* y del que fray Bernardino de Sahagún cita que se acompañaba con miel o con chile y miel, bebida que se podía tomar fría o caliente. El chocolate, también de origen prehispánico, se tornó en una bebida de gran demanda y preferida por diferentes sectores de la población a lo largo de la Colonia; en tanto que el té de origen chino y el café llegado de Arabia, se integraron rápidamente al gusto de los habitantes de Nueva España, bebiéndose tanto en la mañana como en la noche o, inclusive, después de la comida principal y el vino importado de España solamente lo tomaban las familias adineradas.

En relación a los utensilios, los prehispánicos como ollas, cazuelas y comales de barro se continuaron utilizando, aunque en ocasiones ya se hacían torneados y vidriados siguiendo las técnicas europeas, asimismo se introdujeron cuchillos y otros utensilios metálicos que ocuparon el sitio de los que antes se hacían con piedra. La gente del pueblo tomaba sus

alimentos en vajillas de barro, mientras que las personas acomodadas usaban las elaboradas en Puebla y entre la gente rica estaban presentes las vajillas chinas o inglesas.

Después de la Independencia emigraron a México personas de otras partes del mundo como Francia, Estados Unidos, Inglaterra y China quienes también trajeron ciertos hábitos alimenticios y algunos ingredientes que poco a poco se fueron aceptando, principalmente por los integrantes de las clases adineradas. Aunque, sin duda alguna, fue la francesa la que más influyó, ya que durante mucho tiempo gozó de la aceptación de los dirigentes del país, por lo cual los cocineros, los restaurantes y las recetas seguían modelos provenientes de París y los panes de sal y de dulce eran hechos según la tradición francesa, acrecentándose esta influencia durante el régimen de Porfirio Díaz.

Pero la comida que consumen gran parte de los mexicanos no ha cambiado mucho desde hace aproximadamente 300 años, ya que se siguen alimentando con frijoles preparados en varias formas, tamales, atoles, moles, albóndigas, chiles rellenos, chilaquiles, quesadillas, calabazas, etcétera, aunque en la forma de preparación sí han surgido modificaciones: el gas en las estufas dejó a un lado al carbón, las batidoras y licuadoras reemplazaron a los molcajetes y metates y el aluminio y el plástico ocuparon el sitio del barro, sin dejar de mencionar la influencia del *american way of life* donde resaltan los alimentos preparados o semipreparados y las comidas rápidas: hamburguesas y hot-dogs que han ganado diversos partidarios.

Las distintas regiones del país se distinguen por su comida peculiar y característica tanto en la forma de preparación como por sus ingredientes, así a manera de ejemplo se pueden mencionar: el puchero y la barbacoa de olla en Aguascalientes; la sopa de aleta de tiburón, la sopa de caguama y los chiles rellenos de mariscos en la península de Baja California; el pámpano empapelado y la sopa de camarón en Campeche; la machaca con huevo y el cabrito al horno en Coahuila; el caldo michi de pescado blanco y el pozole en Colima; el cochito o cerdo horneado y la sopa de pan en Chiapas.

El caldillo de carne seca y el menudo en Chihuahua; el manchamanteles y el mole de olla en el Distrito Federal; las carnitas en el Estado de México; los romeritos con puerco y la ensalada de tuna en Guanajuato; el ceviche acapulqueño, la iguana en chileajo y las almejas con chorizo en Guerrero; el chilorio, el menudo y la birria en Jalisco; el caldo de charal y el pescado blanco de Pátzcuaro en Michoacán.

Los chayotitos en ajonjolí, el huaxmole y el conejo de adobo en Morelos; la sopa de ostión, las tortas de camarón con nopales y los frijoles puercos en Nayarit; la machaca con huevo y los frijoles a la charra en Nuevo León; el mole negro y el mole amarillito en Oaxaca; el mole poblano, los chiles en nogada y los mixiotes de barbacoa en Puebla.

Las carnitas y el mole a la queretana en Querétaro; las empanadas de cazón y la cochinita pibil en Quintana Roo; el guisado borracho y las enchiladas potosinas en San Luis Potosí; el chilorio y el menudo en Sinaloa; la carne seca con chile colorado y el guacabaque en Sonora; el pochitoque (tortuga pequeña) en verde y la torta de iguana en Tabasco.

Las jaibas rellenas y el cabrito en Tamaulipas; el pollo en pulque y el mole prieto en Tlaxcala; el caldo de pescado, las empanadas de mariscos y las jaibas en chilpachole en Veracruz; el papadzul, el queso relleno y la sopa de lima en Yucatán, y el carnero, la birria y el adobo de carne de puerco en Zacatecas.

Hay también platillos que se preparan a lo largo y ancho de la República, tal es el caso de la barbacoa, las quesadillas, el chicharrón, los sopes, los tamales y los tacos, entre otros, aunque siempre con un toque regional distintivo. Siendo muchos de ellos de los llamados "antojitos", característicos de la cocina mexicana, que combinan productos indígenas con otros aclimatados. Se preparan a base de masa de maíz y se combinan con frijol, chile, cebolla, lechuga, jitomate, salsas, carne, queso y crema; se elaboran en las casas, en puestos callejeros, torterías, taquerías o restaurantes y se comen como botana o como platillo principal en el desayuno o la comida. Como se dijo antes, su ingrediente principal es la masa de maíz que se prepara igual que para hacer tortillas y dependiendo de la forma que se les dé reciben diferentes nombres: tostadas, flautas, quesadillas, tacos, memelas, garnachas, sopes, chalupas o gorditas.

Por lo que a los tamales se refiere, son tantos y tan variados que hablar de ellos de manera exhaustiva necesitaría mucho más espacio, baste mencionar aquí que la palabra tamal viene del náhuatl *tamalli* y están hechos de masa de maíz que se rellena con diferentes ingredientes, se envuelven con hojas vegetales y después se cuecen; las hojas, por lo regular, son de dos tipos: de mazorca de maíz o de elote que es la que se utiliza en el Altiplano central y en el norte del país, y la hoja de plátano usada en la zona de la costa y en las áreas tropicales, y pueden ser de chile o de dulce.

Sin exagerar, se puede decir que hay tal cantidad de tamales como estados de la República donde se elaboran, los picantes son de chile verde, mole

poblano, queso con rajas, carne de res, gallina, guajolote, pescado, mariscos o iguana, de frijol o de verduras, o con más ingredientes como los que además de la carne llevan aceitunas, alcaparras, pasas, papas y zanahorias picadas y chícharos. En tanto que los dulces se hacen con elote, cacahuate, pera, canela, anís y pasitas, nata con almendras y piñones o coco y anís.

Asimismo los hay destinados a la comida cotidiana; los rituales como los que se colocan en las ofrendas de Día de Muertos, o los festivos elaborados para celebraciones familiares o para algunas fiestas populares.

El atole con el que, por lo regular, se acompañan los tamales puede ser simple cuando se prepara con masa, agua, piloncillo y canela; o más elaborado como los champurrados y los atoles de sabores: nuez, cacahuate, almendras, vainilla, piña, coco, fresa, zarzamora, cacao o tuna.

Igual que en el caso de los tamales, en diferentes estados hay distintos tipos de atoles: el *xole* de Teziutlán (Puebla) y Tlapacoyan (Veracruz) de maíz y cacao, semejante al *pozol* de Tabasco y Chiapas; el atole de pinole de Zumpango (Estado de México); el atole de chile ancho de Zacatecas; el *xocoatolli* o atole agrio típico de Puebla, Oaxaca, los Altos de Chiapas y algunos pueblos de Veracruz; el atole agrio de maíz negro con piloncillo de las Huastecas; el *chileatole* hecho con masa, agua, chile, epazote molido y sal de Tlaxcala y Puebla; el de masa y agua que se toma frío en Yucatán, o el *tejate* de Oaxaca hecho de maíz cocido con cenizas, cacao y almendra de mamey tostados y molidos, que se endulza y se sirve con hielo en jícaras.

Cabe mencionar también que en México existe la comida festiva que se prepara con motivo de celebraciones familiares: cumpleaños, bautizos, comuniones o matrimonios, ocasiones en las que según donde se radique y las posibilidades económicas de los organizadores, se elaboran tamales, barbacoa, birria, pozole, mole, etcétera.

Igualmente, a lo largo del año, hay festividades en las que participan en mayor o menor grado todos los habitantes del país: en ocasión de Año Nuevo se cocinan pavo, romeritos y bacalao; el día de Reyes se corta la rosca que se acompaña con chocolate; el día de la Candelaria son típicos los tamales y el atole; el día de la Santa Cruz los trabajadores de la construcción celebran con barbacoa, carnitas o birria; durante la Cuaresma y la Semana Santa se consumen empanadas de atún, mariscos o queso con rajas, romeritos con tortas de camarón, sopa de habas, nopalitos navegantes o nopales de vigilia; en Todos Santos y día de Muertos

hay mole, tamales, dulce de calabaza y pan de muerto; en las Posadas ponche y tamales y, en Navidad, la ensalada navideña o de Nochebuena, romeritos con tortas de camarón, pavo relleno o al horno, bacalao y buñuelos.

Finalmente, respecto a las bebidas con las que se acompaña la comida mexicana, se ha hecho ya referencia a las épocas prehispánica y colonial, así como al atole en la actual y debe agregarse asimismo que hoy en día con la comida se beben aguas frescas que por lo regular se preparan en las casas y en pequeños comercios y restaurantes con frutas de la estación (limón, naranja, papaya, mango, tamarindo), con semillas (horchata de melón o arroz y chía), o con flores (jamaica).

El té se bebe caliente o frío a cualquier hora del día, después de la comida o en la cena y las infusiones a las que también se denomina té son muchas, algunas de ellas pueden acompañar a las comidas y otras son medicinales y ambas se elaboran con hojas (yerbabuena, menta, naranjo, limón) o flores (manzanilla, azahar).

Los ponches que se hacen con distintas frutas (guayaba, caña, ciruela y tejocote), piloncillo y algo de licor son propios de las fiestas navideñas.

El chocolate se prepara con cacao disuelto en leche o agua y se bebe principalmente en el desayuno y la merienda, al igual que el café que también se toma después de la comida, destacando el café de olla con piloncillo, canela y, a veces, un poco de licor, que es una versión mexicana de esta bebida.

Respecto a las bebidas con contenido alcohólico se toma cerveza, vino y pulque, este último blanco o curado con frutas, es popular tanto en las ciudades como en las zonas rurales. Otras bebidas de este tipo propias del país son: tepache, colonche, yolispa, mosco o licor de naranja, sidra, zotol, charanda, rompope, tequila y mezcal.

INTRODUCTION:
Mexican Cooking

The enormous range of dishes that comprises Mexican cooking today has its origin in old native tradition that goes back to pre-Hispanic times. After the Conquest it was influenced by products, ingredients, meats and methods of preparation that were introduced first by the conquistadors then by settlers.

The different indigenous groups of Mesoamerica prepared their food in clay pots and bowls. The staples were corn, beans, chilies and squash, which were combined with the turkey, "pheasant", quail, duck, venison, rabbit and fish that were obtained in the wild and to a lesser degree by domestication. Tomatoes and avocados were also eaten. Corn was also made into *atole* (gruel) and dough for tortillas, which were cooked on a clay *comal* (griddle). Chocolate and pulque were drunk.

For the festivities in honor of their gods they prepared various dishes that were enjoyed by the whole community: tamales of corn and amaranth and different dishes, including especially what the chroniclers called "chicken pot", made with turkey, chilies, tomato and ground squash seeds.

Corn, first cultivated in 7000 B.C., was worshiped by Mesoamerican peoples, who performed rites in its honor and included it in their myths. It was eaten in different ways: boiled on the cob when young and tender, the kernels cooked with meat or ground into dough for tamales and tortillas. It is still the basis of Mexican cooking, and there are over 500 products derived from it.

Chilies were and still are equally important, and there are estimated to be some sixty different varieties in Mexico alone. The ones most used in typical dishes are red, which are used dried, and green, which are used fresh. Their names vary from one place to another, but some of the most common are *pasilla, negro, chipotle, poblano, ancho, serrano, cascabel, piquín, manzano, de árbol, mulato, cuaresmeño, jalapeño, guajillo* and *habanero*. With the arrival of the Spanish, eating habits started to change, since they brought cereals, vegetables, fruit, meats, spices and oils as well as cooking utensils made of different materials, and new methods. Consequently, the 16th century saw many changes in food. Animals: cattle, pigs and chickens (called "Castilian chickens " to distinguish them from turkeys or "local chickens") became acclimatized, the range of crops grew and new products were eaten, such as bread.

These changes came about in different ways in each region, producing regional cooking. In the north, for example, cattle and pig raising flourished and become a very important economic activity in the second half of the 16th century. Because of the need to preserve the meat, *cecina* (dried salted beef), *machaca* (shredded dried beef) and *chilorio* (spiced pork) were made, as they still are today.

The Spanish grew wheat, sugarcane, grapes and olives, and showed great interest in the native cacao, while the Indians continued to sow corn, chilies and squash. Markets (tianguis) still supplied people with the ingredients they needed for their meals.

The cooking of New Spain through Colonial times combined products and ingredients introduced from Europe with those from different regions of the country and the new recipes were passed on by word of mouth. Few written recipes survive, and those that are known belonged to the nuns of different convents. The oldest recipe book known is the one written by Sor Juana Inés de la Cruz for her sister and contains 37 recipes from the convent of San

Jerónimo, mainly for sweet dishes, which were the specialty of nuns. Some characteristic culinary preferences can already be appreciated.

However, it was not until the 18th. century that many of the dishes now considered typically Mexican appeared, such as the *pipián* with almonds that was made in the convent of Santa Catalina. Other convents in Mexico City, Oaxaca, Puebla, Querétaro and Michoacán began to make drinks, main dishes and desserts that enriched the country's cuisine: *ates* (fruit pastes), *rompope* (egg nog), *sopes, pipianes, quesadillas* and particularly *moles* and chilies, both stuffed and in walnut sauce. Although there is no written record, turkey *mole* is said to have originated in the convent of Santa Rosa in Puebla, which is why it was given the name *mole poblano*.

Native Mexicans in the center of the country drank *pulque* or *atole* (gruel), both of pre-Hispanic origin. The name of the last comes from the Nahuatl *atolli*, and the chronicler Fray Bernardino de Sahagún says that it was drunk either hot or cold with honey or chili and honey. Chocolate, also of pre-Hispanic origin, became a drink in great demand and was the favorite of different sectors of the population through Colonial times. Tea, originally from China, and coffee, from Arabia, quickly found favor with the inhabitants of Mew Spain, being drunk at all times of the day and even after the main meal. Only wealthy families could afford to drink wine imported from Spain.

Pre-Hispanic cookware and utensils were still used, such as clay pots and griddles (*comales*), although they were sometimes made on a wheel and were glazed following European techniques. Knives and other metal utensils were introduced, taking the place of those made of stone. Ordinary people ate off clay ware, the richer used pottery made in Puebla, and the really wealthy had table ware imported from China or England.

After Mexico won its Independence immigrants arrived from all over the world, for example France, the U.S.A., England and China, bringing with them dietary habits and ingredients that were gradually adopted, originally by the wealthier classes. However, it was French cooking that had most influence and was enjoyed by the country's leaders for a long time. Therefore, cooks, restaurants and recipes followed Parisian models and bread of all kinds was made according to the French tradition. This influence grew even stronger under President Porfirio Díaz.

But the food eaten by most Mexicans has not changed in some 300 years; staple items are still beans prepared in various ways, *tamales, atoles,* meatballs, stuffed chilies, *chilaquiles, quesadillas* and squash, although

25

cooking methods certainly have changed: gas has replaced charcoal, mixers and blenders are used instead of *molcajetes* (mortar) and *metates* (saddle quern), and aluminum or plastic have taken the place of clay. The influence of "The American way of life" must not be forgotten, characterized by ready prepared or semiprepared foods and fast food — hamburgers and hot dogs which have their many fans.

The different regions of the country are distinguished by their own dishes that are characteristic in both their preparation and ingredients, for example the *puchero* and *barbacoa de olla* of Aguascalientes; the shark's fin soup, turtle soup and chilies stuffed with seafood from Baja California; Campeche's pompano in paper and shrimp soup; *machaca* with eggs and oven roasted kid from Coahuila; the *michi* soup of white fish and *pozole* (pork and hominy stew) from Colima; the roast suckling pig and bread soup of Chiapas.

The dried meat broth and tripe stew in Chihuahua; the *manchamanteles* and *mole de olla* of Mexico City; *carnitas* (fried pork chunks) in the State of Mexico; *romeritos* with pork and prickly pear salad of Guanajuato; the Acapulco *ceviche*, iguana in *chileajo* and clams with spicy sausage *(chorizo)* of Guerrero; the *chilorio*, tripe stew and kid stew in Jalisco; *charal* (tiny whitebait) soup and Pátzcuaro white fish of Michoacán.

Chayotes (vegetable pear) in sesame sauce, *huaxmole;* rabbit in *adobo* in Morelos; the shrimp cakes with *nopales* (cactus pads) and pork beans of Nayarit; *machaca* with eggs and "charro style" beans in Nuevo León; black *mole* and "yellowish" *mole* in Oaxaca; the *mole poblano*, stuffed chilies with walnut sauce, and mutton *mixiotes* of Puebla.

Carnitas and Querétaro style *mole* in the state of the same name; shark turnovers and pit roasted suckling pig in Quintana Roo; the *guisado borracho* (prepared with *pulque*) and *enchiladas potosinas* of San Luis Potosí: the *chilorio* and *menudo* of Sinaloa; dried meat with *colorado* chili and *guacabaque* in Sonora; *pochitoque* (mud turtle) in green sauce and iguana loaf in Tabasco.

Stuffed blue crabs and kid in Tamaulipas; the chicken in *pulque* and *mole prieto* of Tlaxcala; fish soup, seafood turnovers and crabs in *chilpachole* of Veracruz; *papadzules*, stuffed cheese and lime soup in Yucatan, and lamb, kid soup and pork in *adobo* in Zacatecas.

There are also dishes that are prepared all over the country, for example *barbacoa, quesadillas, chicharrón, sopes, tamales* and *tacos* etc. but

always with a distinctive regional touch. Many of these come under the heading of "antojitos" or the snacks so typical of Mexico, which combine native and introduced products. These are mainly based on corn dough and involve beans, chili, onion, lettuce, tomato, different sauces, meat, cheese and cream. They are made at home, at street stalls, in sandwich roll and taco businesses and restaurants and are eaten either as appetizers or a main breakfast or lunch dish. The same corn dough is used as for *tortillas* and, depending on their shape and method of preparation can be *tostadas, flautas, quesadillas, tacos, memelas, garnachas, sopes, chalupas* or *gorditas,*

There are so many varieties of *tamales* that a lot more space would be needed to deal with them exhaustively. Suffice it to say that the name comes from the Nahuatl *tamalli* and that they are made of corn dough filled with different ingredients which is than wrapped in leaves and steamed. The leaves normally used are of two types —the (dried) husks of corn, used on the Central Plateau and in the north, and banana leaves, favored on the coast and in tropical areas. Tamales may contain chile or they can be sweet.

It is not an exaggeration to say that there are as many types of *tamales* as there are states in Mexico where they are made. The "spicy" ones are made with green chili, *mole poblano,* cheese with *rajas* (strips of fried green chili), beef, chicken, turkey, fish, seafood or iguana, beans or other vegetables or extra ingredients such as those that in addition to meat contain olives, capers, raisins, chopped potato and carrot, and peas. Sweet *tamales* can be flavored with sweet corn, peanuts, pears, cinnamon, aniseed and raisins, cream with almonds or pine nuts, or coconut and aniseed.

There are *tamales* for everyday consumption, but also ceremonial ones such as those placed on tombs as offerings on the Day of the Dead, or the special ones made for family celebrations or certain popular festivals.

The *atole* which usually accompanies *tamales* can be simple, when made with corn dough, water, brown sugar and cinnamon, or more elaborate such as the *champurrado* (chocolate) and other flavored *atoles*— pecan, peanut, almond, vanilla, pineapple, coconut, strawberry, blackberry, cacao or prickly pear.

Just as in the case of *tamales,* there are distinctive *atoles* in various states: the *xole* of Teziutlán (Puebla) and Tlapacoyan (Veracruz) made with corn and cacao and similar to the *pozol* of Tabasco and Chiapas; the *atole* made with *pinole* (ground, roasted corn) of Zumpango (State of Mexico); *atole* with *chile ancho* in Zacatecas; the *xocoatolli* or sour *atole* typical

of Puebla, Oaxaca, the Chiapas highlands and some towns in Veracruz; the sour *atole* of blue corn with unrefined sugar of the Huastec areas; the *chileatole* of Tlaxcala and Puebla, made with corn dough, water, chili, *epazote* and salt; the *atole* of corn dough and water that is drunk cold in Yucatan or the *tejate* of Oaxaca made of corn cooked with wood ashes, cacao and ground toasted mamey kernels, sweetened and served with ice in gourd bowls.

There are also special festive dishes prepared for family celebrations —birthdays, christenings, first communions or weddings— occasions when, depending on the region and the finances of the organizers, *tamales, barbacoa, birria, pozole, mole,* etc. are prepared.

Throughout the year there are festivities in which all the population participates to a greater or lesser extent. For New Year, turkey, *romeritos* and salt cod are cooked; on Three Kings Day (January 6), *roscas* (a ring-shaped sweet yeast bread) is cut and accompanied by hot chocolate; typical dishes for Candlemas are *tamales* and *atole;* on Holy Cross Day, construction workers celebrate with *barbacoa, carnitas* or *birria.* During Lent and Holy Week, tuna, shellfish or cheese and chile turnovers, *romeritos* with dried shrimp fritters, dried fava (broad) bean soup, *nopales* (cactus) in tomato broth and *nopales* shrimp are eaten; on All Saints and All Souls (the Day of the Dead) there are *tamales, mole,* pumpkin in syrup and a special sweet yeast bread. At the traditional parties leading up to Christmas, hot fruit punch and *tamales* are typical. For Christmas it self, there will be Christmas Eve salad, *romeritos* with dried shrimp fritters, stuffed roast turkey, salt cod and *buñuelos* (sweet fried pastries).

Some of the drinks that go with Mexican food have already been mentioned as regards pre-Hispanic and Colonial times, and also the *atole* of today. To these must be added the "flavored waters" widely drunk at mealtimes. These are usually made in small businesses or restaurants with seasonal fruit (Key lime, orange, papaya, mango, tamarind), seeds (melon, rice, sage) or even flowers (roselle).

Tea, either hot or iced, is drunk at any time of the day, and there is a wide variety of infusions or herb teas. Some of these are drunk with meals, while others are medicinal; both types are prepared with leaves (peppermint, mint, orange, lemon-grass) or flowers (chamomile, orange blossom).

Punches, made with different fruits (guavas, plums and azaroles) together with sugar cane, unrefined sugar and some kind of liquor belong to Christmastime.

Drinking chocolate is prepared with either milk or water and is drunk mainly at breakfast or in the afternoon, as too is coffee, also drunk after lunch. A special Mexican version is *café de olla*, prepared with unrefined sugar, a cinnamon stick and sometimes a drop of liquor.

Alcoholic beverages include beer, wine and *pulque*. The latter, either natural or flavored with fruit or vegetables (celery for example) is popular in both urban and rural areas. Other typically Mexican drinks of this kind are *tepache* (made from pineapple), *colonche* (from prickly pears), *yolispa* (an herb liqueur from the *Sierra de Puebla),* *mosco* or orange liquor, apple cider, *zotol* (distilled from agave), *charanda* (sugar cane spirit), *rompope* (egg nog), *tequila* and *mezcal* (both distilled from the agave plant).

Principales utensilios de la Cocina Mexicana

Main utensils used in Mexican Cooking

Los diferentes utensilios influyen, debido al material con el que están hechos, en los sabores de la comida. Es por esta razón que en México se opta por utilizar los enseres tradicionales, es decir, ollas y cazuelas de barro, molcajetes y metates de piedra, y cucharas y molinillos de madera.

Different utensils, because of what they are made from, affect the taste of food, and that is why traditional ones are favored: clay pots and casseroles, stone *molcajetes* and *metates,* and wooden spoons and chocolate mills.

Batea: cuenco de madera poco hondo y plano que se usa para preparar ensaladas.

Brasero: pequeño fogón de barro o lámina que se puede transportar.

Cazos de cobre: que se fabrican en Michoacán y son utilizados especialmente para hacer carnitas, pozole, calabaza en piloncillo y diferentes dulces.

Cazuelas, ollas y jarros: que se elaboran en diferentes lugares de la República y se les da múltiples usos, principalmente en la cocción de guisos, caldos, pozole y café.

Comal: disco de barro o metal que se coloca sobre el fuego, se usa para cocer las tortillas o para asar tomates y chiles.

Cucharas y bateas de madera: instrumentos complementarios de los enseres de cocina, con las que se revuelven las salsas, los huevos, etcétera.

Chiquihuites: recipientes tejidos de palma o tule que a veces llevan tapa y se utilizan para mantener calientes las tortillas o bien se usan para almacenar chiles y otros condimentos secos.

Jícaras: vasijas hechas de calabazas secas en las que se sirven algunos platillos tradicionales y se les colocan unos anillos tejidos con

Batea: a flat, fairly shallow wooden dish used to hold salads.

Brasero: small portable brazier made of clay or sheet metal.

Copper casseroles: these are made in Michoacán and are used particularly for preparing *carnitas, pozole,* pumpkin in syrup and various sweetmeats.

Cazuelas, ollas and jarros: clay casseroles, cooking pots and jugs, made in different parts of the country have many uses, especially for combined dishes, soups, pozole and coffee.

Comal: a clay or metal disk placed over the flame, used for cooking *tortillas* and toasting tomatoes and chilies.

Wooden spoons and spatulas: used in preference to metal instruments for mixing sauces, eggs, etc.

Chiquihuites: containers woven of palm leaves or reed which sometimes have a lid. Used for keeping tortillas warm and for storing chilies and other dried seasonings.

Jícaras: gourd bowls used for serving certain traditional dishes. They rest on rings of braided palm leaf to keep them stable.

palma en su parte inferior, con objeto de que se mantengan parados.

Metate: es una especie de mesita de piedra con tres patas, de origen prehispánico, con superficie en declive que sirve de mortero y se complementa con un rodillo de piedra. Se utiliza para moler chiles, ingredientes del mole o café.

Molcajete: mortero hondo de piedra con tres patas y una piedra pequeña en forma de pera como complemento.

Molinillo: batidor de madera para hacer espumoso el chocololate, tiene una cabeza con hendiduras y anillos movibles que sirven como agitadores.

Soplador: abanico tejido con palma o tule que sirve para avivar el fuego.

Metate: a sloping stone slab resting on three feet used with a stone roller for grinding chilies, ingredients for *moles* and coffee.

Molcajete: deep stone mortar on three feet with a pear-shaped stone pestle.

Molinillo: a wooden beater for frothing chocolate up. The head has deep slits in and is surrounded with free-moving rings.

Soplador: fan woven of reed or palm-leaf for fanning the fire.

Condimentos e ingredientes

Acitrón: tallo de biznaga confitado que se usa en algunos guisos salados con objeto de darles consistencia y cierto sabor dulce.

Achiote: semillas del árbol del mismo nombre, utilizadas para condimentar y colorear de rojo algunos platillos salados.

Ajonjolí: pequeña semilla con sabor semejante a la nuez, usado tanto

Seasonings and ingredients

Acitrón: Candied barrel cactus, used in some savory dishes to give crunch and hint of sweetness. A possible substitute is candied pineapple.

Achiote: Annatto seeds, used to flavor and give a bright red color to some savory dishes.

Ajonjolí: Sesame; small seeds with a nutty flavor. Used toasted to sprin-

para espolvorear como para elaborar algunos platillos.

Cacahuate: se usa molido como ingrediente del mole, del pipián y en la elaboración de ciertos dulces típicos.

Cilantro: es probablemente la hierba más utilizada en la cocina mexicana, ya que se usa como ingrediente o aderezo de una gran cantidad de guisos.

Cuitlacoche o huitlacoche: hongo negro que crece en el elote, utilizado en sopas y quesadillas.

Charales: pescados blancos y pequeños que, por lo general, se venden secos.

Chaya: hoja que se usa en Yucatán cuyo sabor es parecido al de la col.

Chayote: calabaza tropical de la que existen tres variedades y su semilla es comestible.

Chía: semilla de una especie de salvia.

Chicharrón: piel de cerdo que puesta a secar y frita se usa en guisados, tacos y como botana.

Chiles: frutos de origen mexicano utilizados frecuentemente en la cocina del país, hay muchas variedades y pueden ser frescos o secos.

kle over certain dishes and in the preparation of others.

Cacahuate: Peanuts, used roasted and ground in *mole, pipián* and for some traditional candies.

Cilantro: Coriander. Probably the herb most used in Mexican cooking; a wide variety of dishes contain it as either a garnish or an ingredient.

Cuitlacoche or huitlacoche: a black fungus growing on ears of corn, used for soups and *quesadillas* (corn tortilla turnovers).

Charales: Tiny white fish that are usually sold dried.

Chaya: A leaf used in Yucatan, tasting somewhat like cabbage.

Chayote: Vegetable pear or mirliton. A tropical squash of which there are three varieties. The kernel is edible.

Chía: Seeds of a variety of sage.

Chicharrón: Pork rind, dried and then fried. Eaten as an appetizer, taco filling or ingredient in cooked dishes.

Chilies: Fruit of a plant originating in Mexico. There are many varieties and they can be used fresh or dried.

Epazote: planta aromática que se utiliza como condimento de algunos guisos.

Flor de jamaica: se usa cuando están secas para preparar una infusión que se bebe fría o caliente.

Hierba santa: hoja grande a manera de corazón que tiene un fuerte sabor a anís.

Mezquite: árbol americano cuya savia sirve para ablandar los granos de maíz.

Mixiote: corteza de las hojas del maguey.

Nixtamal: masa básica de maíz que se utiliza para preparar tortillas.

Nopales: paletas de cactus que se usan en diversas recetas, especialmente cuando están tiernas y una vez que se les quitan las espinas.

Orégano: planta aromática que sirve como condimento, o como ingrediente de algunos guisos.

Pepitas: semillas de melón o de calabaza que se muelen para usarse en mole o pipián y también se consume como botana.

Piloncillo: azúcar sin refinar prensada a manera de conos que se usa en la preparación de dulces.

Pulques: bebida de origen prehispánico con baja graduación alco-

Epazote: Aromatic herb used to flavor some dishes.

Flor de Jamaica: Roselle or sorrel (a variety of hibiscus). These dried flowers are used to make an infusion that can be drunk hot or cold.

Hierba Santa: A large heart-shaped leaf with a strong taste of aniseed.

Mezquite: A tree native to Mexico whose sap is used to soften corn kernels.

Mixiote: The membrane covering agave (*maguey*) leaves.

Nixtamal: Basic corn dough used for making *tortillas*.

Nopales: Cactus pads, used in various ways, especially when young and tender. The spines must be carefully removed.

Orégano: Oregano or wild marjoram. An aromatic herb used as a flavoring and ingredient in many dishes.

Pepitas: Melon or squash seeds that are ground for *mole* or *pipián*. Also eaten as appetizers.

Piloncillo: Unrefined sugar pressed into cone shapes; used mainly for sweet dishes.

Pulque: Pre-Hispanic drink with a low alcohol content produced by

hólica que se obtiene de la fermentación del jugo del maguey.

letting *maguey* juice ferment.

Tamarindo: vaina de un árbol que tiene una pulpa color café que se utiliza para preparar agua fresca y ciertos dulces.

Tamarindo: Tamarind. The seed pod of the tree that contains a brown pulp. Used to make flavored water and sweetmeats.

Tequesquite: óxido de calcio que sirve para cocer los granos de maíz como parte de la preparación del nixtamal.

Tequesquite: Calcium oxide, used in cooking corn kernels for dough *(nixtamal).*

Tomate verde: fruto semejante a un tomate pequeño que está recubierto por una hoja.

Tomate verde: Also known as *tomatillo.* Similar to a small green tomato covered by a husk.

Tejocote: fruta pequeña de pulpa pastosa que al madurar adquiere una coloración dorada.

Tejocote: Azarole. A small fruit with pasty flesh, used when ripe and golden. A possible substitute would be very small, hard but ripe apricots.

Vainilla: planta cuya vaina es usada para aromatizar básicamente dulces y postres.

Vanilla: A plant whose seedpod is used mainly to flavor sweet dishes and desserts.

Xoconostle: o tuna pequeña y ácida.

Xoconostle: A small acid prickly pear.

1

BEBIDAS TRADICIONALES | TRADITIONAL BEVERAGES

Aguas frescas

De chía

Ingredientes

*1 litro de agua
3 limones
½ taza de chía
azúcar al gusto*

Preparación
Remojar la chía en una parte del agua hasta que adquiera viscosidad y esponje. Endulzar el agua restante y agregar el jugo de los limones y la chía. Remover y enfriar.

De horchata

Ingredientes

*1 litro de agua
½ taza de arroz
1 pizca de canela en polvo
unas gotas de limón
azúcar al gusto*

Preparación
Enjuagar bien el arroz y remojarlo durante tres horas. Cocinar en dos litros de agua. Cuando ya esté cocido colar machacándolo en el colador con una cuchara de madera, usando la misma agua en la que se coció.

Flavored waters

Chía (Sage seed)

Ingredients

*4 cups water
3 sour limes
½ cup chía
sugar to taste*

Preparation
Soak the *chía* seeds in part of the water until they swell and become gelatinous. Sweeten the rest of the water and add lime juice and *chía*. Stir and chill.

Rice Drink

Ingredients

*4 cups water
½ cup rice
pinch ground cinnamon
a few drops of lime juice
sugar to taste*

Preparation
Rinse the rice well and soak for three hours. Drain and boil in eight cups of water. When the rice is soft, press it through a sieve with a wooden spoon and add to the cooking water. Sweeten to taste,

Endulzar al gusto, agregar unas gotas de limón y la canela. Enfriar.

add the lime juice and cinnamon. Chill.

De jamaica

Ingredientes

2 litros de agua
1½ tazas de flor de jamaica
azúcar al gusto

Preparación
Hervir la jamaica en medio litro de agua durante 15 minutos. Endulzar el agua, agregar el jugo de la jamaica colado y enfriar.

Roselle Water

Ingredients

8 cups water
1½ cups roselle flowers
sugar to taste

Preparation
Boil the roselle in two cups of the water for 15 minutes. Add sugar to the rest of the water and strain the roselle juice into it.

De pitahaya

Ingredientes

1 litro de agua
¼ de pitahayas (rojas y/o naranjas)
azúcar al gusto

Preparación
Pelar y moler las pitahayas y vertirlas en agua. Endulzar al gusto (generalmente ½ taza de azúcar por litro de agua).

NOTA: si la cáscara de las pitahayas es de color fuchsia y la pulpa gris, no deben mezclarse con ninguna otra clase.

Prickly pear drink

Ingredients

4 cups water
½ lb prickly pears (red and/or orange)
sugar to taste

Preparation
Peel and mash the fruit and add to water. Sweeten to taste (usually ½ cup sugar to every four cups water).

N.B. If the fruit is the large, spineless variety with fuchsia pink skin and grayish flesh it should not be mixed with any other kind.

De tamarindo

Ingredientes

1 litro de agua
¼ de tamarindos sin pelar
azúcar al gusto

Preparación

Pelar los tamarindos y remojarlos durante dos horas o hasta que la pulpa se haya ablandado. Separar la pulpa de la vaina que envuelve las semillas. Colar a través de un colador fino, agregar agua hasta complementar un litro y endulzar al gusto.

Bebidas fermentadas

Tepache

Ingredientes

3 litros de agua
1 piña fresca y grande
8 clavos
2 rajas de canela
4 tazas de mascabado firmemente empacado o ½ de piloncillo
2 tazas de cebada perla

Tamarind Water

Ingredients

4 cups water
½ lb tamarind (unshelled weight)
sugar to taste

Preparation

Shell the tamarind and soak for two hours or until the pulp has softened. Discard seeds and strain pulp through a fine sieve. Add water to make up four cups and sweeten to taste.

Alcoholic beverages

Tepache

Ingredients

12 cups water
1 large fresh pineapple
8 cloves
2 cinnamon sticks
4 cups tightly packed brown sugar or ½ cone of piloncillo
2 cups pearl barley

Preparación

Cortar la piña con cáscara en trozos pequeños y colocarlos en una olla de barro con tres litros de agua, los clavos y la canela. Cubrir con una tela limpia y dejar descansar por dos días.

Hervir la cebada con el azúcar o piloncillo en un litro de agua en un recipiente grande hasta que los granos revienten y luego colar y mezclar el agua (de cocción) con la piña. Cubrir nuevamente y dejar reposar otros dos días, tiempo en el cual la preparación fermentará. Cubrir el colador con una tela fina y húmeda y colar la mezcla fermentada una, o de ser necesario dos veces. Rinde alrededor de tres litros.

NOTA: Si se va a utilizar para cocinar el tepache debe hacerse con sólo dos tazas de mascabado.

Preparation

Cut the unpeeled pineapple into small chunks and put them in a clay pot with the water, cloves and cinnamon. Cover with a clean cloth and leave for two days.

Boil the barley with the sugar and four cups of water in a large container until the grains burst, strain then stir the cooking water with the pineapple. Cover again and leave for another two days to ferment. Line a colander with dampened cheesecloth and strain the fermented liquid, twice if necessary. Makes about 12 cups.

N.B. If the *tepache* is to be used for cooking, use only two cups of sugar.

Colonche

Ingredientes

*5 kg de tunas rojas
1 taza de aguardiente o ron
1 hoja de higuera
1 raja de canela
1 olla de barro mediana y nueva
alcohol, el necesario
jabón neutro, el necesario*

Colonche

Ingredients

*10 lb ripe prickly pears
1 cup cane spirit or rum
1 fig leaf
1 cinnamon stick
1 new medium-sized clay pot
refined alcohol, as required
neutral soap, as required*

Preparación

Curar la olla ocho días antes untando todo su exterior, en especial la base, con jabón neutro y ponerla al fuego por cinco minutos. Lavar, dejar secar y repetir la operación. Durante los siguientes días, mojarla con alcohol y exponerla al sol.

En la olla curada echar las tunas previamente peladas y poner al fuego hasta que suelten el hervor, retirar y dejar enfriar. Volver a hacer esta operación tres veces y dejar reposar durante toda la noche. Colar con un lienzo, agregar ¼ de taza de aguardiente o ron por cada cinco de jugo, la hoja de la higuera y la raja de canela. Lavar la olla, dejarla secar y mojarla luego con alcohol y secar nuevamente. Verter en ella el jugo ya preparado, tapar y dejar fermentar.

Preparation

Season the pot a week before preparation begins by smearing the outside, particularly the bottom, with the soap and then heating over a flame for five minutes. Wash the pot, leave to dry and repeat the procedure. On the following days, swill with the alcohol and place in the sun.

When the pot is seasoned, add the peeled fruit and heat until boiling, remove and leave to cool. Do this three more times then leave overnight. Strain through cheesecloth, measure the liquid and add ¼ cup cane spirit or rum for each five cups, the fig leaf and the cinnamon. Wash the pot, allow to dry, moisten with alcohol and leave to dry again. Add the juice, cover and leave to ferment.

Pulques curados

De almendras

Ingredientes
1 litro de pulque
150 gr de almendras peladas
3 naranjas
azúcar al gusto

Flavored pulque

Almond

Ingredients
4 cups pulque
5 oz blanched almonds
3 oranges (juice)
sugar to taste

Preparación

Moler las almendras con el jugo de naranjas. Mezclar con medio litro

Preparation

Grind the almonds with the orange juice and mix into two cups of the

de pulque. Colar a través de una manta de cielo húmeda, agregar el otro medio litro de pulque, endulzar y dejar reposar tres horas.

pulque. Strain through dampened cheesecloth, add the other two cups of pulque, sweeten and leave to stand for three hours.

De melón

Ingredientes

1 litro de pulque
½ melón
2 clavos
2 granos de pimienta negra
1 raja de canela
azúcar al gusto

Preparación

Moler el melón con sus semillas, los clavos y la pimienta. Mezclar con medio litro de pulque y colar a través de una tela fina y húmeda. Agregar el resto del pulque, endulzar y dejar reposar dos horas.

Melon

Ingredients

4 cups pulque
½ cantaloupe
2 cloves
2 black peppercorns
1 cinnamon stick
sugar to taste

Preparation

Blend together the melon flesh and seeds, clove and peppercorns. Mix with two cups of pulque and strain through dampened cheesecloth. Add the rest of the pulque, sweeten and leave to stand two hours.

De pitahaya

Ingredientes

1 litro de pulque
3 pitahayas anaranjadas o rojas
1 raja de canela
1 pimienta negra
1 clavo
azúcar al gusto

Prickly pear

Ingredients

4 cups pulque
3 orange or red prickly pears
1 cinnamon stick
1 black peppercorn
1 clove
sugar to taste

Preparación

Pelar las pitahayas y molerlas con la pimienta, la canela y el clavo. Mezclar con medio litro de pulque. Colar a través de una tela fina húmeda. Agregar el resto del pulque, endulzar al gusto y dejar reposar por una hora.

> **NOTA:** Esta receta puede ser utilizada para curar el pulque con cualquier otra fruta o verdura tales como: mango, piña, ciruela, guayaba, apio, jitomate, aguacate, etcétera.

Preparation

Peel the prickly pears and blend with the peppercorn, cinnamon and clove. Mix into two cups of pulque. Strain through dampened cheese-cloth and add the rest of the pulque, sweeten to taste and leave to stand one hour.

> **N.B.** This recipe can be used to flavor pulque with any other fruits or vegetables, e.g. mango, pineapple, plum, guava, celery, tomato, avocado, etc.

Bebibas preparadas y cocteles

Beso de ángel

Ingredientes

¾ medida de Kahlúa
¼ crema espesa

Preparación

En una copa servir los ¾ de medida de licor de café (Kahlúa) y agregar cuidadosamente la crema espesa. Ambos ingredientes quedarán separados, el licor abajo y la crema arriba, produciendo un divertido efecto al beber. Rinde una copa.

Mixed drinks and cocktails

Angel's kisses

Ingredients

¾ measure Kahlúa
¼ measure heavy cream

Preparation

Pour the Kahlúa (coffee liqueur) into a serving glass and carefully add the cream. The two will remain in separate layers and give a novel drinking sensation. Serves 1.

Coctel de tequila

Ingredientes

*1 medida de tequila
el jugo de una lima exprimi-
do y colado
granadina al gusto*

Preparación

Licuar todos los ingredientes y servir sobre hielo picado en una copa de borde ancho. Rinde una copa.

Margarita

Ingredientes

*1 medida de tequila
¼ medida de Cointreau
jugo colado de dos limones
sal*

Preparación

Mojar el borde de un vaso de coctel con un poco de jugo de limón y luego presionarlo en un plato con sal. Poner los ingredientes en una coctelera con hielo picado y revolver hasta que esté helado. Verter en el vaso previamente preparado. Rinde un vaso.

Tequila cocktail

Ingredients

*1 measure tequila
strained juice of 1 sour lime
grenadine syrup to taste*

Preparation

Blend all the ingredients together and serve over crushed ice in a champagne glass. Serves 1.

Margarita

Ingredients

*1 measure tequila
¼ measure Cointreau
strained juice of 2 sour limes
salt*

Preparation

Moisten the rim of a cocktail glass with a little lime juice then press into a plate of salt. Put the ingredients in a cocktail shaker with crushed ice and shake until well chilled. Pour into the prepared glass. Serves 1.

Rompope

Ingredientes

1 litro de leche
1 taza de azúcar
1 vaina de vainilla
12 yemas
2 tazas de ron
250 gr de nueces o almendras peladas y molidas

Preparación

Hervir la leche junto con el azúcar y la vainilla, continuar hirviendo a fuego lento durante 15 minutos mientras se revuelve muy lentamente. Dejar enfriar a temperatura ambiente mientras se mueve esporádicamente para evitar que se forme nata y sacar la vaina de vainilla. Batir las yemas hasta que estén espesas y adquieran un color claro. Agregar lentamente la leche junto con las nueces y poner a hervir. Cocer a fuego lento hasta que la mezcla cubra la cuchara. Enfriar y agregar el ron. Verter en una botella y tapar firmemente. Enfriar en el refrigerador por uno o dos días. Esta bebida dura indefinidamente si se mantiene refrigerada. Rinde un litro.

Rompope

Ingredients

4 cups milk
1 cup sugar
1 vanilla bean
12 egg yolks
2 cups rum
8 oz ground blanched pecans, walnuts or almonds

Preparation

Heat the milk with the sugar and vanilla bean over low heat, stirring very slowly, for 15 minutes. Remove vanilla bean and allow to cool to room temperature, stirring occasionally to prevent a skin from forming. Beat the egg yolks until thick and cream colored then gradually add to the milk, together with the nuts and return to low heat. Cook until the mixture coats the back of a spoon. Cool, then chill for one or two days. Keeps indefinitely if refrigerated. Makes 4 cups.

Sangrita

Ingredientes

¼ kg de jitomates pelados y sin semillas
5 naranjas exprimidas
4 limas exprimidas
sal
1 cucharadita de azúcar
salsa Tabasco al gusto
media cebolla picada (opcional)

Preparación
Colocar todos los ingredientes en la licuadora y licuar bien. Refrigerar. Se sirve en vasos pequeños acompañando al tequila, se bebe un poco antes de cada traguito de tequila. Rinde medio litro.

Sangrita

Ingredients

½ lb peeled, seeded tomatoes
juice of 5 oranges
juice of 4 sour limes
salt
1 teaspoon sugar
Tabasco sauce to taste
½ medium onion, minced (optional)

Preparation
Blend all ingredients together until smooth. Serve well chilled in small glasses to accompany tequila and take a sip before each drink of tequila. Makes 2 cups.

Atole, chocolates y café

Atole champurrado

Ingredientes

150 gr de chocolate
150 gr de masa de maíz
1½ litros de leche
200 gr de piloncillo
1 raja de canela

Gruel, chocolate and coffee

Champurrado

Ingredients

5 oz tablet chocolate
5 oz corn dough
6 cups milk
6½ oz raw loaf sugar
1 cinnamon stick

Preparación

Envolver el piloncillo y el chocolate en una tela y deshacer golpeándolos con un martillo. Disolver la masa en la leche, colar y poner al fuego. Revolver constantemente con una cuchara de madera, cuando el atole haya espesado agregar el piloncillo y el chocolate. Batir con el molinillo hasta que hierva. Rinde de cindo a seis tazas.

Preparation

Roll the sugar and chocolate in a cloth and pulverize with a hammer or rolling pin. Dissolve the corn dough in the milk, strain and place on heat. Stir constantly with a wooden spoon until thick then add the sugar and chocolate. Beat with a chocolate mill or whisk until it reaches boiling point. Makes five to six cups.

Atole de arroz

Ingredientes

1 litro de leche
1½ tazas de arroz
2 rajas de canela
1 taza de azúcar
1 cucharadita de vainilla

Rice gruel

Ingredients

4 cups milk
1½ cups rice
2 cinnamon sticks
1 cup sugar
1 teaspoon vanilla essence

Preparación

Cocer el arroz en 2½ tazas de agua y las rajas de canela. Cuando esté cocido agregar la leche, la vainilla y el azúcar. Revolver y dejar hervir 5 minutos. Rinde aproximadamente ocho tazas.

Preparation

Boil the rice in 2½ cups of water with the cinnamon. When soft, add the milk, vanilla and sugar. Stir and cook for five minutes. Makes about eight cups.

Atole de frutas

Ingredientes

¾ kg de fruta seleccionada (mango, guayaba, fresa, durazno, etc.)

Fruit gruel

Ingredients

1½ lb fruit (mangos, guavas, strawberries, peaches, etc.)
4 cups milk

1 litro de leche
1 taza de crema dulce
2 tazas de agua
100 gr fécula de maíz
1 cucharadita de vainilla
2 tazas de azúcar
½ cucharadita de tintura vegetal

1 cup cream
2 cups water
3½ oz cornstarch
1 teaspoon vanilla essence
2 cups sugar
½ teaspoon vegetable coloring

Preparación

Disolver la fécula de maíz en dos tazas de agua y poner al fuego. Cuando comience a espesar, agregar la leche y el azúcar. Cuando espese nuevamente, retirar del fuego. Licuar y colar la fruta de su elección, mezclar con la crema y agregar al atole junto con la tintura vegetal que corresponda a la fruta utilizada. Revolver bien y poner al fuego hasta que hierva. Rinde alrededor de ocho tazas.

Preparation

Dissolve the cornstarch in two cups of water and heat. When the mixture begins to thicken add milk and sugar. When thick again, remove from heat. Blend and strain the fruit, mix into the cream and add to the cornstarch gruel together with the appropriate coloring. Return to heat and bring to boil. Makes about eight cups.

Atole de leche

Ingredientes

¾ litro de leche
¾ litro de agua
150 gr masa de maíz
200 gr azúcar
1 raja de canela
1 cucharadita de vainilla

Milk gruel

Ingredients

3 cups milk
3 cups water
5 oz corn dough
6½ oz sugar
1 cinnamon stick
1 teaspoon vanilla essence

Preparación

Disolver la masa en ¾ de litro de agua, colar y cocer a fuego lento con la raja de canela. Revolver con una cuchara de madera hasta que espese. Agregar la leche, el azúcar y la vainilla. Dejar espesar de nuevo. Rinde alrededor de ocho tazas.

Preparation

Dissolve the dough in the water, strain and simmer with the cinnamon stick, stirring with a wooden spoon until thick. Add the milk, sugar and vanilla. Heat until thick again. Makes about eight cups.

Atole de pepita

Ingredientes

¼ kg de maíz
¼ kg de pepita
¼ kg azúcar

Squash seed gruel

Ingredients

8 oz corn kernels
8 oz squash seeds
8 oz sugar

Preparación

Limpiar el maíz, pelar la pepita y hervir en bastante agua. Cuando estén suaves, retirar del fuego, lavar, moler y colar. Vaciar en un litro de agua hirviendo y agregar el azúcar cuando espese, revolver constantemente. Rinde aproximadamente ocho tazas.

Preparation

Wash the corn, peel the squash seeds and boil together in plenty of water. Remove from heat, rinse, blend and strain. Pour the mixture into 4 cups of boiling water and add the sugar when it thickens, stirring constantly. Makes about eight cups.

Chocolate con agua

Ingredientes

5 tabletas de chocolate amargo
1 litro de agua
1 cucharadita de anís
1 taza de azúcar
1 pizca de sal

Chocolate with water

Ingredients

5 tablets bitter chocolate
4 cups water
1 teaspoon aniseed
1 cup sugar
pinch of salt

Preparación

Derretir las tabletas de chocolate a baño María. En una olla hervir el litro de agua y el anís. Agregar el chocolate derretido, el azúcar y la pizca de sal. Batir hasta que hierva, sacar del fuego y continuar batiendo hasta que haga espuma. Rinde cuatro tazas.

Preparation

Melt the chocolate in a bain Marie while bringing the water and aniseed to a boil. Add the melted chocolate, sugar and salt, stirring until the mixture boils. Remove from heat and continue beating until foamy. Makes four cups.

Chocolate con leche

Ingredientes

1 litro de leche
5 tabletas de chocolate
2 rajas de canela o 2 vainas de vainilla
1 taza de azúcar
1 pizca de sal

Chocolate with milk

Ingredients

4 cups milk
5 tablets Mexican chocolate
2 cinnamon sticks or 2 vanilla beans
1 cup sugar
pinch of salt

Preparación

Derretir las tabletas de chocolate a baño María. En una olla, hervir un litro de leche, condimentarlo con canela o vainilla. Agregar el chocolate derretido, el azúcar y la pizca de sal, batir hasta que hierva, retirando del fuego y continuar batiendo con el molinillo hasta que haga espuma. Rinde cuatro tazas.

Preparation

Melt the chocolate in a bain Marie. Heat the milk with the vanilla or cinnamon, add the melted chocolate, sugar and salt and bring to the boil beating all the time. Remove from heat and continue whisking until foamy. Makes four cups.

Chocolate frío

Ingredientes

4 tabletas de chocolate
1 taza de azúcar
1 taza de crema dulce
1 litro de leche
1 cucharada de extracto de vainilla
1 cucharadita de canela en polvo
1 cucharadita de nuez moscada
1 pizca de sal

Preparación

Deshacer el chocolate a baño María. Batir la crema, el azúcar, la sal y la vainilla hasta que estén esponjosos. Agregar el chocolate derretido y continuar batiendo, agregar un litro de leche helada, y seguir batiendo. Servir en vasos y espolvorear con canela en polvo y nuez moscada. Rinde cuatro vasos.

Cold chocolate

Ingredients

4 tablets chocolate
1 cup sugar
1 cup cream
4 cups milk
1 teaspoon vanilla extract
1 teaspoon ground cinnamon
1 teaspoon ground nutmeg
pinch of salt

Preparation

Melt the chocolate in a bain Marie. Whip the cream with sugar, salt and vanilla until fluffy. Add the melted chocolate and continue beating; add 4 cups very cold milk and beat. Serve in glasses, sprinkled with cinnamon and nutmeg. Serves four.

Café de olla

Ingredientes

1 litro de agua
6 cucharadas de café molido
2 rajas de canela
piloncillo al gusto

Coffee in a clay pot

Ingredients

4 cups water
6 tablespoons ground coffee
2 cinnamon sticks
raw or dark brown sugar to taste

Preparación

Debe hacerse en una olla de barro reservada exclusivamente para este propósito. Calentar un litro de agua en la olla, cuando comience a hervir agregar la canela y dejar hervir hasta que se convierta en un perfumado té. Agregar entonces unos pedacitos de piloncillo de acuerdo a lo dulce que se desee, esperar a que se disuelva. Agregar el café, revolver y dejarlo hervir un rato. Retirar de la lumbre y añadir un chorro de agua fría, dejar que asiente por 3 minutos y colarlo dentro de las tazas. Rinde cuatro tazas.

Preparation

This coffee should be made in clay pot reserved exclusively for the purpose. Heat the water in the pot. When it begins to boil add the cinnamon and boil until the liquid is well flavored. Then add sugar according to the degree of sweetness required and wait for it to dissolve. Add the coffee, stir and allow to boil for a few minutes. Remove from heat and add a little cold water. Leave to settle for 3 minutes then strain into cups. Serves four.

2

RECAUDOS | SEASONING
| PASTES

Los recaudos o recados son un conjunto de especias y condimentos que se utilizan para elaborar diferentes guisos. Con frecuencia se consiguen ya preparados en los mercados, pero si se tienen todos los ingredientes en casa pueden prepararse al gusto.

Recaudos or *recados* are mixtures of spices and seasonings used for a wide variety of dishes. They can usually be found ready-made in markets, but if all the ingredients are available they can be prepared to individual taste.

Adobado

Ingredientes

Pimienta, clavo de olor, ajo, achiote, comino, orégano y canela.

Adobado

Ingredients

Pepper, cloves, garlic, annatto, cumin, oregano and cinnamon.

Adobo rojo

Ingredientes

Chile pasilla, chile guajillo, aceite de olivo, harina, ajonjolí, clavo, pimienta, comino, orégano y laurel.

Red adobo

Ingredients

Pasilla chilies, guajillo chilies, olive oil, flour, sesame seed, cloves, pepper, cumin, oregano and bay leaf.

Adobo verde

Ingredientes

Pepita de calabaza, pimienta negra, aceite de olivo, tomillo, mejorana y comino.

Green adobo

Ingredients

Pumpkin seeds, black pepper, olive oil, thyme, marjoram and cumin.

Concentrado

Ingredientes

Una hoja de cebolla, una de aguacate y semilla de cilantro.

Concentrado

Ingredients

One onion leaf, one avocado leaf and coriander seeds.

Chilaquil

Ingredientes

Pimienta, achiote, ajo, clavo de olor, pimienta de Tabasco, orégano y seis chiles secos (pueden ser pasillas, chipotle, mulato o guajillo).

Chilaquil

Ingredients

Pepper, annatto, garlic, cloves, allspice, oregano and six dried chilies (pasilla, chipotle, mulato or guajillo).

Escabeche

Ingredientes

Pimienta, clavo de olor, ajo, comino y orégano.

Escabeche

Ingredients

Pepper, cloves, garlic, cumin and oregano.

Especia

Ingredientes

Ajo, canela, pimientas, clavo de olor, azafrán y orégano.

Spice

Ingredients

Garlic, cinnamon, cloves, saffron and oregano.

Mole poblano

Ingredientes

Ajonjolí, cacahuate, semillas de chiles, pepitas de calabaza, clavo de olor, almendra, chocolate, pimienta y vinagre.

Puebla style *mole*

Ingredients

Sesame seed, peanuts, chili seeds, pumpkin seeds, cloves, almonds, chocolate, pepper and vinegar.

Puchero

Ingredientes

Orégano, comino, pimienta, ajo, clavo de olor, azafrán y canela.

Puchero

Ingredients

Oregano, cumin, pepper, garlic, cloves, saffron and cinnamon.

Tamales

Ingredientes

Seis chiles secos (de la especie que se desee), clavo de olor, achiote, pimienta, pimienta de Tabasco, ajo y orégano.

Tamales

Ingredients

Six dried chilies (any type), cloves, annatto, pepper, allspice, garlic and oregano.

3

SALSAS TÍPICAS | TYPICAL SAUCES

De chile cascabel

Ingredientes

10 chiles cascabel
3 dientes de ajo pelados
2 jitomates medianos asados
⅔ taza de agua
sal al gusto

Preparación
Calentar el comal y tostar los chiles volteándolos con frecuencia, guardarlos en una bolsa de plástico hasta que se enfríen, pelarlos, separar las semillas de las venas y tostarlas.
En una licuadora moler todos los ingredientes uno o dos minutos, de ser necesario, agregar un poco de agua puesto que la salsa debe tener una consistencia aguada.

Cascabel chili sauce

Ingredients

10 cascabel chilies
3 cloves garlic, peeled
2 medium tomatoes, toasted
⅔ cup water
salt to taste

Preparation
Heat a griddle and roast the chilies, turning frequently, then place in plastic bag and allow to cool. Peel, remove seeds and veins and toast them.
Blend all ingredients for one or two minutes, adding a little water if necessary as the sauce should be thin.

De chile guajillo

Ingredientes

15 chiles guajillos
2 jitomates
1 cebolla
2 dientes de ajo
2 pizcas de tomillo seco
1 cucharada de vinagre
sal al gusto

Guajillo chili sauce

Ingredients

15 guajillo chilies
2 tomatoes
1 onion
2 cloves garlic
2 pinches dried thyme
1 tablespoon vinegar
salt to taste

Preparación
Hervir los chiles, desvenarlos y dejarlos remojar en el agua en la que hivieron con la cucharada de vinagre y el tomillo, asar los jitomates y los dientes de ajo y molerlos con el chile. Picar finamente la cebolla y mezclar con la salsa.

Preparation
Boil the chilies. Remove veins and leave chilies to soak in the cooking liquid with the vinegar and thyme. Toast the tomatoes and garlic then blend with the chilies. Mince the onion and mix into the sauce.

De chile pasilla

Ingredientes

8 chiles pasilla
2 jitomates
½ cebolla
1 cucharadita de fécula de maíz
½ taza de leche
2 dientes de ajo

Pasilla chili sauce

Ingredients

8 pasilla chilies
2 tomatoes
½ onion
1 teaspoon cornstarch
½ cup milk
2 cloves garlic

Preparación
Desvenar y remojar los chiles en agua hirviendo por alrededor de 15 minutos. Asar los jitomates y pelarlos, moler todo junto y freír en poco aceite.

Preparation
Remove veins from chilies and discard. Soak chilies in boiling water for about 15 minutes. Toast the tomatoes and peel. Blend all ingredients together then fry in a little oil.

De chilorito de árbol

Ingredientes

1 taza de chiles de árbol
3 jitomates

Chilorito de árbol sauce

Ingredients

1 cup árbol chilies
3 tomatoes

½ cebolla
2 dientes de ajo
sal al gusto

½ onion
2 cloves garlic
salt to taste

Preparación
Freír los chiles, asar los jitomates, pelarlos y molerlos junto con los chiles, los dientes de ajo, la cebolla y la sal.

Preparation
Fry the chilies. Toast the tomatoes, peel and blend with the chilies, garlic, onion and salt.

Salsa mexicana

Ingredientes

5 chiles serranos
1 cebolla mediana
3 jitomates grandes
3 cucharadas de aceite de olivo
1 rama de cilantro
sal y pimienta al gusto

Mexican sauce

Ingredients

5 serrano chilies
1 medium onion
3 large tomatoes
3 tablespoons olive oil
1 bunch coriander
salt and pepper to taste

Preparación
Frotar, asar y pelar los chiles. Picar todo los ingredientes, mezclarlos y agregar aceite, sal y pimienta al gusto.

Preparation
Roll the chilies between the hands, toast and peel. Chop all ingredients and mix together. Add the oil and salt and pepper to taste.

De tomate verde (cocida)

Ingredientes

5 chiles serranos
20 tomates verdes
1 cebolla chica
1 pequeño manojo de cilantro
3 dientes de ajo

Preparación

Cocer los chiles y los tomates en un poco de agua sin que hiervan en exceso, pelarlos y licuar con la cebolla, ajo y sal. Salpicar por encima el cilantro picado.

Tomatillo sauce (cooked)

Ingredients

5 serrano chilies
20 tomatillos
1 small onion
1 small bunch coriander
3 cloves garlic

Preparation

Boil the chilies and tomatillos in a little water without overcooking. Remove as much peel as possible then blend with the onion, garlic and salt. Scatter the sauce with chopped coriander.

De tomate verde (cruda)

Ingredientes

20 tomates verdes
4 chiles serranos
1 diente de ajo
2 cucharadas de cilantro
2 cucharadas de cebolla
⅓ taza de agua
sal al gusto

Tomatillo sauce (uncooked)

Ingredients

20 tomatillos
4 serrano chilies
1 clove garlic
2 tablespoons chopped coriander
2 tablespoons chopped onion
⅓ cup sugar
salt to taste

Preparación
Picar por separado los chiles, la cebolla y el cilantro. Quitar la cáscara a los tomates, cortarlos en trozos y ponerlos en la licuadora junto con el ajo, los chiles, la sal y el agua. Agregar la cebolla y el cilantro, servir a temperatura ambiente.

Preparation
Chop the chilies. Remove the husk from the tomatillos, cut them into pieces and blend with garlic, chilies, salt and water. Stir in the onion and coriander. Serve at room temperature.

De tomate asado

Toasted tomatillo sauce

Ingredientes

½ kg de tomates verdes
8 chiles serranos
3 cucharadas de cilantro picado
2 dientes de ajo
3 cucharadas de cebolla picada
sal al gusto

Ingredients

1 lb tomatillos
8 serrano chilies
2 tablespoons chopped coriander
2 cloves garlic
2 tablespoons chopped onion
salt to taste

Preparación
Colocar sobre el comal los tomates sin la cáscara y los chiles, volteándolos frecuentemente. Retirar los chiles cuando estén ligeramente asados (unos 5 minutos más o menos). Los tomates se retiran del fuego cuando estén aguados (aproximadamente 10 minutos).
Moler los tomates y los chiles con los demás ingredientes, agregando un poco de agua o consomé si se desea. Espolvorear con el cilantro y servir a la temperatura ambiente.

Preparation
Remove husks from the tomatillos and toast them on a griddle with the chilies, turning frequently. Remove chilies when they are lightly charred (about five minutes). Remove the tomatillos when they are soft (about ten minutes).
Blend tomatillos and chilies with remaining ingredients, adding a little water or chicken stock if wished. Serve at room temperature, sprinkled with the coriander.

Ranchera

Ingredientes

*2 chiles serranos asados
1 jitomate asado
1 cucharada de aceite
2 cucharadas de cebolla finamente picada
1 diente de ajo
sal al gusto*

Preparación

Moler el jitomate, los chiles y el ajo hasta que se forme una salsa suave, pero sin moler demasiado. Calentar el aceite y freír la cebolla hasta que tome un color amarillento. Agregar el jitomate, los chiles y el ajo molidos y la sal. Cocer a fuego medio por unos minutos o hasta que espese.

Ranch style sauce

Ingredients

*2 serrano chilies, toasted
1 tomato, toasted
1 tablespoon oil
2 tablespoons finely chopped onion
1 clove garlic
salt to taste*

Preparation

Blend tomato, chilies and garlic into a fairly smooth but still textured sauce. Heat the oil and fry the onion gently until golden, add the blended sauce and salt. Cook over medium heat until thickened.

4

MASA Y TORTILLAS | CORN DOUGH AND TORTILLAS

Masa de maíz

Ingredientes

1 kg de maíz
50 gr de cal
4 litros de agua

Preparación

Hervir el kilo de maíz con los 50 gramos de cal en cuatro litros de agua. A medida que se vaya evaporando el agua revolver para que cueza parejo. De ser necesario agregar más agua, ésta debe estar hirviendo. Retirar del fuego cuando al tomar un grano y frotarlo la cáscara se desprenda, dejar enfriar. Descascarar los granos frotándolos y ponerlos en otro recipiente. Moler los granos en metate o molino; para evitar que se formen grumos agregar un poquito de agua.

Corn dough

Ingredients

2 lb dried corn kernels
2 oz powdered lime
4 quarts water

Preparation

Boil the corn with the lime in the 4 quarts of water. As the water evaporates, stir the corn so that it cooks evenly. If necessary add more boiling water. When the skin can be removed from the kernels easily by rubbing, remove from heat and leave to cool. Remove skins by rubbing the kernels between the fingers. Grind on a metate or in a corn mill, adding a little water to prevent lumps.

Tortillas de maíz

Ingredientes

Masa de maíz, la necesaria

Preparación

Amasar la masa si ésta no está recién hecha. Formar pequeñas bolas que quepan en la palma de la mano y tortearlas o golpearlas pa-

Corn tortillas

Ingredients

Corn dough

Preparation

Knead the dough if it is not freshly made. Roll into small balls and pat these out thinly between the palms, applying pressure first with one

sándolas de una mano a otra para adelgazarlas y conservar su forma redonda.

Cocer sobre un comal volteándolas cuando se han inflado o ya no se peguen. Al retirar del fuego envolver en una servilleta para que se mantengan calientes. Si las tortillas no se consumen en el momento, separarlas y apilarlas nuevamente para que no se peguen, envolver en una servilleta y guardar en el refrigerador dentro de una bolsa de plástico.

hand then the other to keep the tortilla round.

Cook the tortillas on a griddle, turning them when they puff up or no longer stick. Remove when cooked through, pile them up one by one in a napkin and wrap to keep them hot. If the tortillas are not eaten immediately, separate them and pile up again so that they do not stick together, wrap in a napkin and refrigerate in a plastic bag.

Tortillas de harina

Ingredientes

½ kg de harina cernida
6 cucharaditas de manteca (vegetal o de cerdo)
sal al gusto

Preparación

Colocar el harina sobre la mesa y espolvorear sal, distribuir la manteca en cucharadas y amasar lo necesario para que los ingredientes queden bien mezclados, agregando un poco de agua tibia o caliente. Dividir la masa en bolas pequeñas y dejar reposar en una superficie enharinada durante 20 minutos. Extender las bolas con rodillo de madera hasta que queden como discos delgados. Cocinar sobre parrilla, sartén o comal aproxima-

Wheat flour tortillas

Ingredients

1 lb sifted all-purpose flour
6 teaspoons vegetable shortening or lard
salt to taste

Preparation

Heap the flour on a work surface, sprinkle with salt and dot with teaspoonfuls of lard or shortening. Rub the ingredients together just enough to mix them thoroughly, adding a little warm or hot water. Divide the dough into small balls and leave to stand on a floured surface for 20 minutes. Roll the balls out very thinly into circles. Cook in a heavy skillet or on a griddle for about 2 minutes on each side. If they are not to be eaten immedi-

damente 2 minutos de cada lado. Si no se van a consumir de inmediato, guardar en una bolsa de plástico en el refrigerador.

ately store in a plastic bag in the refrigerator.

Tortillas de harina tipo crepa

Ingredientes

150 gr de harina cernida
35 gr de mantequilla derretida
1 huevo
1 taza de leche
sal al gusto

Preparación

Poner el harina en un recipiente, agregar la sal, la mantequilla derretida y el huevo. Batir agregando leche hasta que la pasta sea homogénea. Cocer de ambos lados sobre un sartén engrasado con mantequilla vaciando con una cuchara la pasta necesaria para cubrir con una capa delgada el fondo del mismo. Al retirar del fuego colocar las tortillas en un recipiente con tapa para mantenerlas calientes.

Crêpe type wheat flour tortillas

Ingredients

5 oz sifted all-purpose flour
1½ oz melted butter
1 egg
1 cup milk
salt to taste

Preparation

Put flour into a bowl. Add the salt, melted butter and egg. Mix well, adding the milk, until the batter is smooth. Cook in a buttered skillet, spooning just enough batter in to cover the bottom with a thin layer each time. As each tortilla is cooked, store in a covered container to keep hot.

5

ENTRADAS TÍPICAS | TYPICAL APPETIZERS

Ceviche

Ingredientes

½ kg de pescado sierra
6 chiles serranos en vinagre
2 jitomates
2 aguacates
2 cebollas
9 limones
1 manojito de cilantro
4 cucharadas de aceite de olivo
1 cucharada de vinagre
sal, pimienta y orégano al gusto

Preparación

Lavar muy bien el pescado y quitarle las espinas, partirlo en cuadritos de dos cm y colocarlo en un recipiente de vidrio con el jugo de seis limones, revolver, sazonar y dejar reposar cuatro horas.

Picar los chiles en vinagre, agregar una pizca de pimienta, unas cucharaditas del caldillo de los chiles, el vinagre, el aceite y el orégano. Picar el jitomate, el cilantro y la cebolla; cortar la otra en rodajas finas.

Rociar el caldillo condimentado sobre el pescado, agregar el jitomate, la cebolla y el cilantro. Revolver y adornar con rodajas de cebolla y aguacate en rebanadas. Servir con mitades de limón a un lado.

Marinated fish cocktail

Ingredients

1 lb Spanish mackerel, red snapper or halibut
6 serrano chilies in vinegar
2 tomatoes
2 avocados
2 onions
9 sour limes
1 bunch coriander
4 tablespoons olive oil
1 tablespoon vinegar
salt, pepper and oregano to taste

Preparation

Wash the fish thoroughly and remove bones. Cut into 1 inch cubes and place in a glass or ceramic bowl with the juice of 6 limes. Salt and leave for 4 hours, turning occasionally.

Chop the chilies, add a pinch of pepper, a few teaspoons of chili juice, the vinegar, oil and oregano. Chop the tomatoes and one onion. Slice the other onion into thin rings.

Pour the chili vinaigrette over the fish, add the tomato, chopped onion and coriander. Mix well but gently. Garnish with onion rings and slices of avocado, and serve with halved limes.

Tortas de camarón seco

Ingredientes

125 gr de harina
1 taza de agua fría
½ kg camarones secos chicos y limpios
½ cebolla blanca mediana
5 chiles serranos con semillas
1 clara de huevo
¼ cucharadita de sal
aceite, el necesario
agua caliente, la necesaria

Preparación

Picar las cebollas y los chiles, colocar en la licuadora la taza de agua fría, el harina y la sal, licuar, vaciar en un recipiente y dejar descansar la mezcla un mínimo de dos horas. Cubrir los camarones con agua caliente y dejar remojar solamente diez minutos.

Batir la clara de huevo a punto de turrón y mezclar poco a poco con la preparación de harina. Escurrir los camarones, molerlos y agregar a la mezcla junto con los chiles y la cebolla picados.

Calentar el aceite y freír cucharadas de la mezcla hasta que estén doradas, volteándolas una sola vez. Escurrir sobre una toalla o servilleta de papel y servir de inmediato.

Dried shrimp fritters

Ingredients

4 oz all-purpose flour
1 cup cold water
1 lb cleaned dried shrimps
½ medium white onion
5 whole serrano chilies
1 egg white
¼ teaspoon salt
oil for frying
hot water

Preparation

Put the flour, water and salt in the blender. Process and leave the mixture to stand in a bowl for at least two hours. Cover the shrimps with hot water and soak for ten minutes. Meanwhile chop the chilies and onion.

Beat the egg white until stiff and gradually fold into the flour paste. Drain the shrimps, blend to a puree and add to the egg mixture together with the chopped chilies and onion.

Heat the oil and fry tablespoons of the mixture until golden, turning once. Drain on kitchen paper and serve immediately.

Crepas de cuitlacoche

Ingredientes

1 kg de cuitlacoche
5 cucharadas de cebolla picada
5 cucharadas de aceite
½ taza de epazote picado
1 cucharada de consomé en polvo
salsa blanca, la necesaria
30 crepas o tortillas de harina
queso parmesano, el necesario
mantequilla, la necesaria

Preparación

Acitronar la cebolla con el epazote en el aceite. Agregar el cuitlacoche y el consomé en polvo, cocinar media hora. Rellenar las crepas y colocarlas en un molde para horno rectangular enmantecado, cubrir con salsa blanca, espolvorear con queso parmesano molido y poner unos pequeños trocitos de mantequilla encima. Hornear a temperatura media por unos 15 o 20 minutos, o hasta que se forme una capa doradita.

Cuitlacoche crêpes

Ingredients

2 lb cuitlacoche
5 tablespoons chopped onion
5 tablespoons oil for frying
½ cup chopped epazote
1 tablespoon chicken stock powder
béchamel sauce
30 crêpes or wheat flour tortillas
grated Parmesan cheese
butter, as needed

Preparation

Fry the onion lightly with the epazote. Add the cuitlacoche and stock powder and fry for 30 minutes. Fill the crêpes and arrange them in a greased rectangular oven dish. Pour the béchamel sauce over them, sprinkle liberally with cheese and dot with butter. Bake in a medium oven for 15 to 20 minutes or until the top is golden.

Crepas de flor de calabaza

Ingredientes

2 manojos de flor de cala-baza
3 chiles poblanos asados y desvenados
6 cucharaditas de aceite
6 calabacitas grandes cru-das y picadas
3 elotes desgranados en crudo
½ taza de epazote picado
2 cucharadas de consomé en polvo
1 taza de agua hirviendo
30 crepas o tortillas de ha-rina

Preparación

Separar los pétalos de las flores, cocinarlos 10 minutos y picarlos. Calentar el aceite en un sartén grande y agregar los chiles poblanos cortados en tiras y los granos de elote, freír por 5 minutos o hasta que el elote esté tierno. Añadir las calabacitas picadas y el consomé en polvo disuelto en una taza de agua; agregar el epazote picado y cocinar 10 minutos más, añadir la flor de calabaza y mezclar todo. Retirar del fuego y colocar una capa de crepas en el fondo de un molde rectangular enmantequillado, cubrir-

Squash flower crêpes

Ingredients

2 bunches squash flowers
3 poblano chilies, toasted and cleaned
6 tablespoons oil for frying
6 large zucchini, chopped
3 fresh ears of corn, kernels removed
½ cup chopped epazote
2 tablespoons chicken stock powder
1 cup boiling water
30 crepes or wheat flour tor-tillas

Preparation

Strip off the petals of the squash flowers, boil for ten minutes and chop. Heat the oil in a large skillet and add the chilies, cut into narrow strips, and the corn. Fry for 5 minutes or until the corn is tender. Add the zucchini and stock powder dissolved in a cup of hot water then the epazote and cook five minutes longer. Add the squash flower and mix well. Remove from heat. Spread a layer of crêpes over a buttered rectangular ovenproof mold, cover with filling and pour béchamel sauce over. Repeat the

las con una capa de relleno, bañar con un poco de salsa blanca y repetir la operación hasta que se terminen las crepas, el relleno y la salsa. Hornear 10 minutos.

layers, ending with sauce. Bake for ten minutes.

Chacales de Parral (esquites)

Parral style corn

Ingredientes

12 elotes tiernos
100 gr de queso manchego
1 cebolla
2 limones
¼ taza de mantequilla
1 rama de epazote
2 cucharadas de chile piquín
sal al gusto

Ingredients

12 young ears of corn
3½ oz grated mild Cheddar cheese
1 onion
2 sour limes
¼ cup butter
1 sprig of epazote
2 teaspoons cayenne pepper
salt to taste

Preparación

Hervir los elotes con la cebolla. Cuando estén cocidos desgranar y colocar en otra olla junto con el epazote picado y la mantequilla, sazonar con la sal y agregar dos o tres tazas del agua en la que se cocieron. Dejar hervir hasta que se consuma el agua y servir con jugo de limón, queso rallado y chile piquín. Rinde cuatro porciones.

Preparation

Boil the corn with the onion and when cooked through scrape off the kernels. Put into a clay cooking pot with the epazote, butter and salt and add two or three cups of the cooking water. Boil until dry. Serve with lime juice, cheese and pepper. Serves four.

Chiles combinados

Stuffed chili hors d'oeuvre

Ingredientes

20 chiles jalapeños
½ kg carne de lomo de puerco
1 jitomate
1 cucharada de consomé en polvo
½ taza de pasitas
½ taza de vinagre
2 duraznos
1 granada roja
1 cebolla picada
1 cucharada de mostaza
1 cucharada de orégano
½ taza de aceite

Ingredients

20 jalapeño chilies
1 lb boiled pork tenderloin
1 tomato, chopped
1 tablespoon chicken stock powder
½ cup raisins
½ cup vinegar
2 peaches
1 pomegranate
1 onion
1 tablespoon mustard
1 tablespoon oregano
½ cup oil

Preparación

Cocer la carne en agua con sal hasta que esté tierna. Picar por separado la cebolla y los duraznos; asar los chiles, pelarlos y abrirlos de un solo lado para retirar las semilla. Freír en un sartén la mitad de la cebolla y el jitomate picado con la mitad del aceite. Deshebrar la carne y agregar el jitomate preparado, incorporar el consomé, los duraznos y la mitad del vinagre, la mostaza y las pasitas; cocinar por diez minutos; dejar enfriar y rellenar los chiles. Mezclar en un recipiente el resto de la cebolla, del vinagre, del aceite y el orégano; colocar los chiles en un platón y cubrirlos con esta

Preparation

Chop the onion and peaches finely. Toast the chilies, skin, and open along one side to remove seeds and veins. Fry half of the onion and the tomato in half of the oil. Shred the meat and add the tomato and onion mixture, stirring in the stock powder, peaches, half of the vinegar, the mustard and raisins. Cook for ten minutes, allow to cool and stuff the chilies. In another bowl mix together the remaining onion, vinegar and oil with the oregano. Arrange the chilies on a serving plate and spoon the onion vinaigrette over them. Garnish with pomegranate seeds. Serves four.

salsa. Adornar con la granada. Rinde cuatro porciones.

Dobladitas de chile pasilla

Ingredientes

12 chiles pasilla
2 jitomates grandes
3 cebollas de rabo
4 dientes de ajo
300 gr de queso manchego
100 gr de manteca de cerdo
15 tortillas chicas
sal al gusto

Preparación
Picar las cebollas de rabo. Tostar, desvenar y remojar los chiles; hervir los jitomates y licuarlos junto con los chiles y el ajo.
En la manteca acitronar la cebolla, agregar los ingredientes licuados y poner sal al gusto. Añadir el queso rallado y mantener a fuego lento para que no hierva y se agrume el queso. Sumergir las tortillas en esta salsa y doblarlas en cuatro, acomodarlas en un platón y servir con la salsa restante. Si ésta queda muy espesa agregar un poco de agua o consomé. Rinde cinco porciones.

Folded tortillas in pasilla chili sauce

Ingredients

12 pasilla chilies
2 large tomatoes
3 green (knob) onions
4 cloves garlic
10 oz grated mild Cheddar or Monterey Jack cheese
3 oz lard
15 small tortillas
salt to taste

Preparation
Chop the green onions. Toast, devein and soak the chilies. Boil the tomatoes then blend with the chilies and garlic.
Fry the onion in lard until transparent, add the blended ingredients and add salt to taste. Add the cheese and continue cooking over low heat to prevent the cheese from forming lumps. Dip the tortillas in this sauce and fold into quarters, arrange on a serving plate and pour the remaining sauce over. If the sauce has thickened too much, add a little water or chicken stock. Serves five.

Guacamole

Ingredientes

2 aguacates grandes
3½ cucharadas de cilantro fresco finamente picado
3½ cucharadas de cebolla picada
2 chiles serranos finamente picados
¾ taza jitomate picado
1 hueso de aguacate
sal al gusto

Preparación

Moler en un molcajete 2 cucharadas de cilantro, 1½ cucharadas de cebolla picada y los chiles hasta formar una pasta. Cortar los aguacates por la mitad, retirar los huesos y sacar la pulpa con una cuchara. Aplastarla mezclándola con los ingredientes molidos; agregar ½ taza de jitomate picado y poner sal al gusto.
Colocar el hueso del aguacate en el centro del guacamole. Rociar con el resto del jitomate, cebolla y cilantro picados.

Guacamole

Ingredients

2 large avocados
3½ tablespoons minced fresh coriander
3½ finely chopped onion
2 serrano chilies, finely chopped
¾ cup chopped tomato
1 avocado pit
salt to taste

Preparation

Grind 2 spoonfuls coriander, 1½ spoonfuls onion and the chilies in a molcajete (or large mortar) to make a paste. Cut the avocado in half, remove the pits and scoop out the flesh. Mash and mix into the ground ingredients. Add ½ cup of the tomato and salt to taste.
Place the avocado pit in the center of the guacamole and garnish with the remaining tomato, onion and coriander.

Rajas a la reina

Ingredientes

6 chiles poblanos
1 taza de queso deshebrado

Baked chili strips

Ingredients

6 poblano chilies
1 cup grated Jack, teleme or

2 huevos enteros
1 taza de leche evaporada
½ barra de mantequilla
½ taza de pan molido
sal y pimienta al gusto

block Münster cheese
2 eggs
1 cup evaporated milk
½ stick butter
½ cup fine dry breadcrumbs
salt and pepper to taste

Preparación

Asar, desvenar y cortar en tiras los chiles; enmantequillar un molde para horno. Colocar una capa de chiles, otra de queso deshebrado y repetir la operación hasta que se terminen los ingredientes. Licuar la leche evaporada, los huevos, la sal y la pimienta y vaciar esta crema sobre los chiles. Espolvorear con pan molido y hornear a temperatura media hasta que comience a secar la leche. Rinde cuatro porciones.

Preparation

Toast and clean out the chilies and cut into strips. Butter an ovenproof dish. Arrange a layer of chili, then one of cheese and continue until the ingredients are used up. Blend the evaporated milk, eggs, salt and pepper and pour over chili mixture. Top with breadcrumbs and bake in a medium oven until beginning to dry. Serves four.

Tostadas

Chicken tostadas

Ingredientes

12 tortillas
1 taza de frijoles refritos
1 pechuga de pollo hervida
1 lechuga chica
2 jitomates
¼ de queso añejo
¼ de crema
2 aguacates
chiles jalapeños en vinagre

Ingredients

12 tortillas
1 cup refried beans
1 chicken breast, poached
1 small iceberg lettuce
2 tomatoes
9 oz queso añejo or dry Feta
1 cup crème fraîche
2 avocados
jalapeño chilies in vinegar

Preparación
Dorar las tortillas en manteca o aceite y servirlas cubiertas con los ingredientes en el siguientes orden: frijoles refritos, pollo deshebrado, lechuga picada, jitomate rebanado, queso desmoronado, crema, aguacate o guacamole y rajas de chile jalapeño en vinagre. El pollo se puede sustituir por atún o carne deshebrada.

Preparation
Fry the tortillas in lard or oil until crisp. Top with refried beans, shredded chicken, shredded or chopped lettuce, tomato slices, crumbled cheese, cream, avocado slices or guacamole and strips ot pickled chili.

Note. Flaked tuna or shredded meat can be substituted for the chicken.

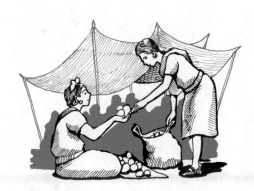

6

SOPAS | SOUPS

Caldos y sopas aguadas

Caldo de queso

Ingredientes

5 tazas de caldo de res
300 gr de papas
3 jitomates grandes
2 cucharadas de aceite
½ cebolla rebanada
6 tiras delgadas de queso mocorito o Muenster
1 chilaca
1 diente de ajo
sal al gusto

Preparación

Poner a hervir el caldo. Pelar las papas, cortarlas en dados y agregarlas al caldo. Dejar cocer por diez minutos para que queden apenas cocidas.

Cortar una rebanada pequeña de la parte superior de cada jitomate y rallar la pulpa con el lado grueso del rallador, sin olvidar la que ha quedado en las dos rebanadas.

En un sartén pequeño acitronar la cebolla y el ajo, agregar la pulpa del jitomate y cocinar a fuego alto durante diez minutos. Agregar la salsa al caldo.

Quitar las semillas de la chilaca y cortar en tiras. Agregar al caldo

Broths and soups

Cheese soup

Ingredients

5 cups beef broth
10 oz potatoes
2 large tomatoes
2 tablespoons oil
½ onion, sliced
6 narrow sticks Münster cheese
1 chilaca chili
1 clove garlic
salt to taste

Preparation

Heat the broth. Peel the potatoes, cut into cubes and add to broth. Boil for ten minutes or until just cooked through. Grate the tomatoes coarsely (easier if a thin slice is cut off the top first).

Fry the onion and garlic in a small skillet until transparent, add the tomato and fry over high heat for ten minutes then add the mixture to the broth.

Remove seeds from the chili and cut into strips. Add to soup and cook over medium heat for ten minutes.

Season to taste with salt. Just before serving, add the cheese and

y cocer a fuego medio durante diez minutos; sazonar al gusto. Justo antes de llevar a la mesa, agregar el queso y servir cuando el queso se haya derretido. Rinde seis porciones.

ladle out when it has melted. Serves six.

Caldo tlalpeño

Ingredientes

1 pollo cortado en trozos
1 pechuga extra
3 zanahorias
1 poro
4 papas
¼ kg de queso blanco fresco
3 ramas de apio
2 ramas de perejil
1 rama de yerbabuena
¼ taza de perejil picado
1 taza de salsa mexicana (p. 64)
2 aguacates grandes
sal al gusto

Tlalpeño broth

Ingredients

1 chicken cut into pieces plus one breast
3 carrots
1 leek
4 potatoes
3 sticks celery
1 sprig mint
2 sprigs parsley
¼ cup minced parsley
salt to taste
½ lb queso blanco fresco or Ricotta cheese
1 cup Mexican sauce (see p. 64)
2 large avocados

Preparación
Lavar bien las piezas de pollo y ponerlas a hervir con bastante agua y todas las verduras peladas y cortadas en tiras (menos el perejil picado). Agregar sal al gusto. Cuando el pollo se haya cocido, retirarlo y colar el caldo. Colocarlo en una sopera, agregar primero las papas y las zanahorias, el perejil y la carne

Preparation
Wash the chicken pieces well. Boil together with the sliced vegetables and the herbs (except the minced parsley), adding salt to taste. When the chicken is cooked, remove and strain the broth into a tureen. Add first the potatoes, carrots, minced parsley and shredded chicken breasts. Top with cubed

deshebrada de las pechugas y por último el aguacate cortado en cuadritos y el queso desmoronado. Se acompaña con salsa mexicana. Rinde seis porciones.

avocado and crumbled cheese and accompany with the, Mexican sauce. Serves six.

Crema de flor de calabaza

Ingredientes

½ kg de flor de calabaza
3½ tazas de caldo de pollo
3 cucharadas de mantequilla
⅔ de taza de crema espesa
½ cebolla
1 diente de ajo
sal

Preparación

Picar la cebolla, el diente de ajo y las flores de calabaza por separado. En una olla gruesa derretir la mantequilla, agregar la cebolla y el ajo y acitronarlos. Añadir las flores picadas y sal al gusto. Tapar y dejar cocer por diez minutos. Apartar ½ taza de flores y licuar el resto con 1½ taza de caldo de pollo. Verter en la olla y añadir el caldo restante. Cocer a fuego lento por diez minutos, incorporar la crema a la sopera y calentar sin que hierva. Servir adornada con el resto de las flores de calabaza. Rinde cuatro porciones.

Cream of squash flower soup

Ingredients

1 lb. squash flowers
3½ cups chicken stock
3 tablespoons butter
⅔ cup crème fraîche
½ onion
1 clove garlic
salt to taste

Preparation

Chop the onion, garlic and squash flowers separately. Melt the butter in a thick saucepan, add the onion and garlic and fry gently until transparent. Add the squash flowers and salt. Cover and cook for 15 minutes. Reserve ½ cup of flowers and blend the rest with 1½ cups of broth. Return to the saucepan and add the remaining stock. Simmer for ten minutes then stir in the cream and reheat (do not allow to boil). Serve each portion garnished with some of the reserved squash flowers. Serves four.

Jaibas en chilpachole

Ingredientes

6 jaibas vivas
1 litro de agua con sal
2 cebollas medianas
3 jitomates medianos
6 dientes de ajo
3 ramas de epazote
6 chiles anchos
3 cucharadas de aceite de oliva
sal al gusto

Preparación

Limpiar las jaibas con un cepillo bajo el chorro de agua fría. Ponerlas en el agua hirviendo y dejar cocer por cinco minutos. Sacarlas y dejarlas enfriar. Se guarda el agua. En cuanto las jaibas estén tibias, limpiar pegando fuerte con un cuchillo en el triángulo que tienen en la parte posterior del cuerpo hasta que se levante con facilidad. Quitar la masa amarillenta y enjuagar para que no queden residuos. Separar las tenazas de las conchas grandes, partirlas y sacar la carne del resto del cuerpo. Colocar las conchas y los restos de jaiba en el caldo y dejar hervir cinco minutos. Colar el caldo a través de un colador cubierto con una tela fina. Guardar ambas cosas. Asar y desvenar los chiles.

Crab in spicy tomato broth

Ingredients

6 live blue crabs
4 cups boiling salted water
2 medium onions, finely chopped
3 medium tomatoes
6 cloves garlic
6 sprigs epazote
6 ancho chilies
3 tablespoons olive oil
salt to taste

Preparation

Scrub the crabs under cold running water. Plunge into boiling water and cook for five minutes. Remove and set aside to cool. Reserve the cooking water. When the crabs are cool enough to handle, clean by first removing the triangular section on the underside, hitting it hard with a knife until it lifts up easily. Remove the yellowish material and rinse the crabs so that no traces of it remain. Break the legs off the main shell, cut the crabs in two and remove the meat from the rest of the body. Add the shells and remains to the cooking water and boil for five minutes. Strain through a colander lined with dampened cheesecloth. Reserve both liquid and shells. Toast and devein the

Asar, pelar y cortar los jitomates, agregar los dientes de ajo y las cebollas picadas. Licuar todo junto con ½ taza de caldo de las jaibas hasta que se forme un puré.

Calentar el aceite y freír la salsa licuada durante diez minutos, revolviendo con frecuencia. Añadir el resto del caldo a la salsa de jitomate y dejar hervir a fuego lento cinco minutos más. Agregar sal al gusto y la carne de las jaibas para espesar la sopa y dejar hervir a fuego lento unos pocos minutos más. Agregar las jaibas, incluyendo las tenazas y el epazote dos minutos antes de servir. Rinde cuatro porciones.

chilies. Toast, peel and cut up the tomatoes, add the garlic and finely chopped onion. Blend all together into a puree with ½ cup of crab broth.

Heat the oil and fry the puree for ten minutes, stirring frequently. Add the remaining broth and simmer for five minutes. Add the crab meat and salt and simmer for a few more minutes. Add the crab shells and claws with the epazote two minutes before serving. Serves four.

Puchero mexicano

Ingredientes

300 gr lomo de puerco sin rebanar
300 gr cuete de res
100 gr de jamón crudo
1 hueso de tuétano
1 hueso poroso
3 costillas de puerco ahumadas
2 chorizos
4 papas amarillas
3 elotes
200 gr de garbanzos
1 chayote
4 calabacitas
4 zanahorias

Grand Mexican stew

Ingredients

10 oz pork tenderloin
10 oz beef eye of round
3 oz raw ham
1 marrow bone
1 soup bone
3 smoked pork ribs
2 chorizos or hot Italian sausage
4 yellow potatoes
3 ears of corn
7 oz chickpeas
1 chayote
4 zucchini
4 carrots
¼ cabbage

¼ de col
2 nabos
2 plátanos machos
1 camote de yuca
4 peras
4 cebollas medianas
3 jitomates medianos
½ chile ancho
4 dientes de ajo
2 cucharadas de manteca
4 cucharadas de aceite de oliva
2 cucharadas de vinagre
2 cucharadas de semillas de cilantro
1 rama de cilantro
1 rama de perejil
½ bolillo duro
10 granos de pimienta
sal y orégano al gusto

2 turnips
2 plantains
1 yucca root
4 pears
4 medium onions
3 medium tomatoes
½ chile ancho
4 cloves garlic
2 tablespoons lard
4 tablespoons olive oil
2 tablespoons vinegar
2 tablespoons coriander seeds
1 bunch fresh coriander
1 bunch parsley
½ dry hard bread roll
10 peppercorns
salt and oregano to taste

Preparación

Dejar los garbanzos remojando desde el día antes para que se cocinen con más facilidad.

Lavar las verduras, pelar las papas, el chayote, las zanahorias, los nabos y la yuca. Partir todo, excepto la col, en cuatro partes y cortar los elotes en rodajas gruesas.

Remojar el pan; desvenar el chile ancho, tostar las semillas de cilantro; pelar los dientes de ajo y moler todo junto. Más tarde se volverá a moler añadiendo un pedazo de chorizo que se haya cocido en el caldo.

Preparation

Put the chickpeas to soak the day before so that they will cook more quickly.

Wash the vegetables; peel the potatoes, chayote, carrots, turnips and yucca. Cut all the vegetables except the cabbage into four, and cut the corn across into thick wheels.

Soak the bread, devein the chilies, toast the coriander seeds, peel the garlic and grind all together. This mixture will be ground again later with a piece of chorizo that has been cooked in the broth. Toast the

Asar los jitomates, pelarlos, molerlos y colarlos; agregar al jugo las cucharadas de aceite de oliva, el vinagre, una cebolla finamente picada, sal y orégano al gusto.

En una cacerola grande poner dos litros de agua a fuego intenso junto con las carnes de cuete y lomo, los huesos, la pimienta, los garbanzos remojados desde el día anterior y sal al gusto. Al hervir se baja el fuego y se deja cocer dos horas quitando la espuma a medida que se forme. Agregar las costillas ahumadas, el chorizo, el jamón y las verduras, todo menos el plátano.

Ya que está bien cocido, retirar las calabazas y la yuca para que no se desbaraten junto con un pedazo de chorizo que se molerá con el mole. Agregar éste al caldo, disolver bien y dejar hervir añadiendo agua que cubrirá todos los ingredientes. Añadir los plátanos machos y mantener la olla destapada.

Colar el caldo y ponerlo en otra olla a fin de recalentarlo. Servir en platos soperos, con las verduras aparte aderezadas con la salsa de jitomate. Rebanar la carne, freírla en manteca junto con la yuca y servir en otro plato. Rinde ocho porciones.

tomatoes, peel, blend and strain. To this thin puree add the olive oil, vinegar, one finely chopped onion, salt and oregano to taste.

Put 8 cups water, the eye of round, tenderloin, bones, peppercorns, soaked chickpeas and salt to taste on a high heat. When boiling, lower the heat and cook for two hours, skimming off the foam as it rises. Add the ribs, chorizo, ham and all the vegetables except the plantains. When everything is cooked, remove the zucchini and yucca and reserve. Take out a piece of chorizo and grind together with the chili preparation; add this to the stew and stir in well. Bring back to boil, adding water so that the ingredients are covered. Add the plantains and leave to cook uncovered.

Strain the broth into another saucepan to reheat. Serve in soup plates and separately the vegetables seasoned with the tomato sauce. Slice the meat, fry in lard with the yucca and serve on another platter. Serves eight.

Sopa de aguacate

Avocado soup

Ingredientes

2 tazas de pulpa de aguacate
6 tazas de caldo de pollo

Ingredients

2 cups avocado flesh
6 cups chicken broth

> *2 tazas de cuadritos de tortilla fritos*

> *2 cups small squares of fried tortilla*

Preparación

Poner dos tazas de caldo en la licuadora, agregar la pulpa de aguacate y licuar hasta que se forme un puré. Añadir el resto del caldo y calentar lentamente sin que llegue a hervir. Agregar sal al gusto y servir de inmediato adornada con cuadritos de tortilla. Rinde seis porciones.

Preparation

Put two cups of broth in the blender, add the avocado and blend to a puree. Add the rest of the broth and simmer until heated through, without allowing to boil. Season to taste with salt and serve immediately garnished with tortilla pieces. Serves six.

Sopa de Apatzingán

Apatzingán soup

Ingredientes

1 melón maduro
1 taza de cubitos de pan tostado

o

1 taza de cuadritos de tortilla tostada
2 papas pequeñas
2½ tazas de leche
3 cucharadas de mantequilla
pimienta dulce recién molida
sal al gusto

Ingredients

1 ripe cantaloupe melon
1 cup toasted bread cubes

or

1 cup toasted tortilla squares
2 small potatoes
2½ cups milk
3 tablespoons butter
freshly ground allspice
salt to taste

Preparación

Derretir la mantequilla en una olla y agregar las papas rebanadas friéndolas sin que se doren. Añadir dos tazas de leche y dejar cocer a fuego lento hasta que estén blandas.

Preparation

Melt the butter and fry sliced potatoes without allowing to color. Add 2 cups of milk and simmer until potatoes are soft. Blend with salt and return to saucepan.

Licuar todo con sal al gusto y regresar a la olla.

Cortar el melón en cuartos, quitando la cáscara y las semillas, cortar la pulpa en pequeños cubos apartando una taza para adornar. Licuar dos tazas de melón en cubitos con la leche hasta que quede una mezcla. Agregar al puré de papa y calentar a fuego lento hasta que comience a hervir. Sazonar al gusto y servir de inmediato, adornando con pedacitos de melón y el pan o cuadritos de tortilla tostados. Rinde cuatro porciones.

Cut melon into quarters, peel and remove seeds. Cut into small cubes, reserving 1 cup for the garnish. Blend the melon with the remiaining milk, add to the potato puree and simmer until the soup begins to boil. Season to taste with allspice and serve immediately garnished with reserved melon cubes and the bread or tortilla. Serves four.

Sopa de bolitas de tortilla

Ingredientes

¼ kg de tortillas frías
1 huevo
1 yema de huevo
1 litro de caldo
1 jitomate
1 cebolla chica
½ taza de requesón
½ taza de crema
1 taza de leche
2 cucharadas de manteca de cerdo
2 hojas de epazote
1 diente de ajo
sal y pimienta al gusto

Tortilla dumpling soup

Ingredients

½ lb cold tortillas
1 egg
1 egg yolk
4 cups chicken broth
1 tomato
1 small onion
½ cup cottage cheese
½ cup crème fraîche
1 cup milk
2 tablespoons lard
2 leaves epazote
1 clove garlic
salt and pepper to taste

Preparación

Remojar las tortillas en leche hasta que estén suaves, cortarlas y molerlas en licuadora junto con la cebolla, el ajo y el epazote. Agregar el huevo, la yema y sal al gusto. Amasar bien y formar bolitas pequeñas; freírlas en manteca. Hacer un puré con el jitomate y freírlo sazonándolo muy bien. Agregar el caldo y dejar hervir por diez minutos. Retirar del fuego y agregar las bolitas de tortilla y la crema en el momento de servir. Rinde cuatro porciones.

Preparation

Soak the tortillas in the milk until soft then blend with the onion, garlic and epazote. Mix in egg, egg yolk and salt. Knead the dough, roll into small balls and fry in lard. Blend the tomato to a puree and fry, seasoning well. Add the broth and boil for ten minutes. Remove from heat and add the tortilla dumplings and cream just before serving. Serves four.

Sopa de calabacita

Ingredientes

6 calabacitas
1 cucharadita de harina de arroz
1 litro de caldo
½ cebolla
½ taza de crema
30 gr de mantequilla
galletitas para sopa
sal y pimienta al gusto

Zucchini soup

Ingredients

6 zucchini
1 teaspoon rice flour
4 cups chicken broth
½ onion
½ cup crème fraîche
1 oz butter
soup crackers
salt and pepper to taste

Preparación

Quitar los extremos de las calabacitas, cortarlas en trozos y cocerlas en ½ litro de caldo con la cebolla y la sal. Cuando estén cocidas molerlas con el caldo en el que hirvieron, colarlas y poner a hervir junto con el otro ½ litro de caldo. Freír el

Preparation

Trim the ends off the zucchini. Cut into pieces and cook in 2 cups of broth with onion and salt. When tender, blend with the cooking liquid, strain, and cook with the remaining 2 cups of broth. Fry the flour lightly in the butter without

harina en la mantequilla y agregar el caldo antes de que se dore. Sazonar con sal y pimienta, retirar del fuego cuando espese, agregar la crema y al servir acompañar con galletitas. Rinde cuatro porciones.

allowing to color then add the zucchini mixture. Season to taste with salt and pepper. Cook and remove from heat when thickened, add the cream and serve with soup crackers on top. Serves four.

Sopa de frijol

Ingredientes

150 gr de frijol negro
1 jitomate
3 tortillas
1 cebolla
2 dientes de ajo
sal y orégano al gusto
aceite, el necesario

Preparación

Remojar los frijoles durante toda la noche en dos litros de agua. En la mañana, cocer en la misma agua con ¾ de la cebolla, los ajos, una cucharada de aceite y sal. Cuando suavicen, moler, disolver en su mismo caldo y colar. Partir las tortillas en cuadritos y freír hasta que doren, escurrir sobre toallas o servilletas de papel para eliminar el exceso de grasa.

Asar el jitomate, pelar y moler junto con el cuarto de cebolla restante, sal y orégano. Freír el puré obtenido en una cucharada de aceite, cuando seque, agregar el caldo de frijol y dejar a fuego lento hasta que

Black bean soup

Ingredients

1 cup black beans
1 tomato
3 tortillas
1 onion
2 cloves garlic
salt and oregano to taste
oil for frying

Preparation

Soak the beans overnight in 12 cups of water. To make the soup, boil the beans in the soaking water with ¾ onion, garlic, one tablespoon oil and salt. When soft, blend, mix into cooking liquid and strain. Cut the tortillas into small pieces and fry in oil until golden; drain on paper towels.

Toast the tomato, peel and blend with remaining ¼ onion, salt and oregano. Fry the puree in one tablespoon of oil until fairly dry, than add the bean broth and simmer until boiling, Garnish with fried tortilla pieces. Serves six.

suelte el hervor. Servir con cuadritos de tortilla. Rinde seis porciones.

Sopa de tortilla a la vena

Ingredientes

10 tortillas
½ pechuga de pollo
1 litro de caldo
½ cebolla chica
1 diente de ajo
1 jitomate mediano
2 chiles pasilla
½ taza de aceite
consomé en polvo al gusto

Preparación

Cortar las tortillas en tiras finas y dorar en aceite. Dejarlas escurrir. Asar el jitomate, pelar y moler con la cebolla y el ajo. Desvenar los chiles pasilla, freír las semillas y las venas, ponerlas en la mesa en un plato aderezadas con sal y jugo de limón. Remojar los chiles una hora, hervirlos después diez minutos y molerlos. En dos cucharadas de aceite freír el chile con el puré de jitomate, añadir el caldo, el consomé en polvo y las tiras de tortilla. Agregar la pechuga deshebrada, dejar hervir diez minutos y servir. Rinde cuatro porciones.

Tortilla soup with chili veins

Ingredients

10 tortillas
½ chicken breast
4 cups chicken broth
½ small onion
1 clove garlic
1 medium tomato
2 pasilla chilies
½ cup oil
chicken stock powder to taste

Preparation

Cut the tortillas into narrow strips and fry until golden. Drain on kitchen paper. Toast the tomato, peel and blend with onion and garlic. Remove veins and seeds from the chilies and fry. Place the fried seeds and veins seasoned with salt and lime juice in a small dish on the table. Soak the chilies for one hour then boil for ten minutes and blend. Fry the chili with the tomato puree in one tablespoon of oil, then add the broth, stock powder and tortilla strips. Add the shredded chicken breast and cook for ten minutes. Serves four.

Puchero con frijoles pintos

Meat stew with pinto beans

Ingredientes

1 cola de res
½ kg de lomo de cerdo
½ taza de frijoles pintos
½ taza de maíz cacahuazintle cocido
½ taza de caldo
½ cebolla
6 granos de pimienta
2 chiles anchos
2 litros de agua
sal al gusto

Ingredients

1 oxtail
1 lb pork tenderloin
½ cup pinto beans
½ cup cooked hominy
½ onion
6 peppercorns
2 ancho chilies
8 cups water
salt to taste

Preparación

Cortar la cola de res en pedazos pequeños y quitarle prácticamente toda la grasa. Colocar en una olla grande junto con la cebolla, el ajo, la sal, los frijoles pintos y los granos de pimienta. Añadir agua hasta cubrir y dejar hervir una hora a fuego lento. Agregar la carne cortada en cuadritos y el maíz y dejar hervir con la olla destapada media hora o hasta que estén bien cocidos; no se debe agregar la sal hasta que el maíz haya "reventado". Tostar ligeramente los chiles y quitarles las semillas y las venas. Unos veinte minutos antes de servir, moler un chile con algo de caldo y cortar el otro en tiritas. Agregar ambos al caldo. Rinde ocho porciones.

Preparation

Cut the oxtail into small pieces, removing almost all the fat. Place in a large pan with onion, garlic, salt, beans and peppercorns. Add water to cover and simmer for one hour. Add the cubed pork and hominy and cook uncovered for 30 minutes or until the meat and beans are well cooked. No salt should be added until after the corn kernels have burst.
Toast the chilies lightly and remove seeds and veins. About 20 minutes before serving, blend one of the chilies with a little cooking liquid; cut the other one into strips and add both to the stew. Serves eight.

Menudo estilo norteño

Northern style tripe stew

Ingredientes

1 pata de ternera
1 kg de pancita
½ kg de maíz cocido
4 litros de agua
3 chiles anchos
1 chile poblano
1 cebolla grande
3 dientes de ajo
6 granos de pimienta
sal y orégano al gusto

Ingredients

1 calf's foot
2 lb tripe
1 lb cooked whole hominy
16 cups water
3 ancho chilies
1 poblano chili
1 large onion
3 cloves garlic
6 peppercorns
salt and oregano to taste

Preparación

La pata de ternera debe estar cortada en cuatro trozos. Cortar la pancita en cuadros pequeños y poner en una olla grande, de preferencia de barro, con la pata de ternera, la cebolla, los dientes de ajo, la pimienta, el agua y sal. Dejar hervir por alrededor de dos horas, o hasta que la pata y la pancita estén bien cocidas. Mientras se cuece la carne, tostar los chiles anchos, retirar las semillas y las venas. Moler en seco hasta que quede en polvo fino y agregar a la olla. Asar y pelar el chile poblano, quitar las semillas y las venas, cortar en tiras finas y agregar a la carne. Cuando esté cocida retirar la pata de la olla, quitar todas las partes carnosas, picar un poco y regresar a la sopa.

Preparation

Cut the calf's foot into four. Cut the tripe into small squares and put into a large casserole, preferably clay, with the calf's foot, onion, garlic, peppercorns water and salt to taste. Cook for about two hours or until the meats are tender.
Meanwhile, toast the chilies then remove the veins and seeds. Grind the chilies into a fine powder and add to the meats. Char and peel the poblano chili, remove seeds and veins, cut into narrow strips and add.
When cooked, take the calf's foot out, strip off the meaty portions, chop roughly and return to the stew. Add the hominy and leave to cook for a further two hours uncovered. Add salt to taste, sprinkle

Añadir el maíz cocido y dejar hervir por otras dos horas con la olla destapada. Agregar sal, espolvorear con orégano y servir acompañado con tortillas calientes. En platos aparte colocar limón en mitades y cebolla picada para que cada quien los agregue a su gusto. Rinde seis porciones.

with oregano and serve with hot tortillas. Serve lime wedges and finely chopped onion separately for garnishing to individual taste. Serves six.

Mole de olla

Ingredientes

1 ½ kg de aguayón de res
3 chiles anchos
2 chiles pasilla
¼ kg de calabacitas
1 chayote
1 cebolla
2 elotes
4 papas
3 jitomates medianos
¼ de ejotes
1 rama de epazote
1 diente de ajo
2 cucharadas de aceite o manteca
sal y pimienta recién molida al gusto

Preparación

Cortar la carne de res en dados y los elotes en rebanadas gruesas. Rebanar y hervir las calabacitas. Pelar, cortar y hervir el chayote, picar la cebolla y el ajo. Asar, pelar

Mole de olla

Ingredients

3 lb stewing steak
3 ancho chilies
2 pasilla chilies
½ lb zucchini
1 chayote
1 onion
2 ear of corn
4 potatoes
3 medium tomatoes
½ lb green beans
1 sprig epazote
1 clove garlic
2 tablespoons oil or lard
salt to taste
freshly ground black pepper

Preparation

Cut the meat into cubes and the corn into thick wheels. Slice and boil zucchini. Peel, cut up and boil the chayote. Chop the onion and garlic. Toast, peel and devein the chilies.

y desvenar los chiles. Poner la carne y el epazote en una olla grande y agregar agua hasta casi cubrir; hervir a fuego lento con la olla tapada por dos horas. Combinar los chiles con las cebollas, ajo y jitomate y licuar hasta que quede un puré. Calentar el aceite y freír el puré cinco minutos; sazonar al gusto y agregar la carne. Añadir las verduras cortadas y hervir a fuego lento 30 minutos. Rinde seis porciones.

Put the meat and epazote in a large pan and add water almost to cover. Simmer, covered, for two hours. Blend the chilies with the onion, garlic and tomato into a puree. Heat the oil or lard and fry the puree; season to taste with salt and pepper and add to meat. Add the vegetables and simmer for 30 minutes. Serves six.

Pozole blanco

Ingredientes

*½ kg de maíz cacahuazintle
¼ kg de cabeza de cerdo
¼ kg de carne maciza de cerdo
1 pata de cerdo
1 col blanca pequeña
3 cebollas
1 cabeza chica de ajo
1 manojo de rábanos
limones, los necesarios
chile piquín al gusto
orégano al gusto
4 cucharadas de cal*

Preparación

Hervir el maíz con las cucharadas de cal hasta que al frotarlos se desprenda la cáscara. Restregar y lavar

White pozole

Ingredients

*4 tablespoons powdered lime (calcium oxide)
1 lb dried whole hominy
½ lb pig's head
½ lb boneless pork
1 pig's foot
1 small head garlic
3 onions
salt and pepper to taste
1 small white cabbage
1 bunch radishes
limes
piquín chili powder
oregano*

Preparation

Boil the hominy with the lime until the skin comes off when a kernel is rubbed between the fingers. Rub

bien. Descabezar los granos quitando la punta dura y poner a hervir con una cabeza de ajo desdentada y pelada. Cuando los granos revienten, agregar la carne partida en trozos pequeños y la pata cortada en cuatro. De ser necesario, agregar agua hirviendo a medida que haga falta. Cuando la carne esté bien cocida, sazonar y dejar hervir por diez minutos más. Servir en cazuelas o platos soperos, colocando en la mesa platos con la col y los rábanos cortados, la cebolla finamente picada, los limones partidos, chile piquín y orégano para que cada quien se sirva a su gusto. Rinde seis porciones.

the kernels together to remove the skins and rinse well. Pinch off the hard point and boil the corn with the head of garlic separated into cloves and peeled. When the kernels burst add the meat cut into small pieces and the quartered pig's foot. Cook, adding more boiling water if necessary. When the meat is tender, season to taste with salt and pepper and cook for ten minutes longer.

Serve in deep dishes or soup plates. Put the shredded cabbage, sliced radishes, finely chopped onion, lime wedges, chili powder and oregano into separate dishes for topping the pozole according to individual taste. Serves six.

Pozole colorado estilo tapatío

Ingredientes

½ kg de maíz cacahuazintle
4 cucharadas de cal
¼ de carne maciza de cerdo
¼ kg de cabeza de cerdo
1 pata de cerdo
1 gallina
3 cebollas
1 cabeza chica de ajo
2 dientes de ajo
1 manojo de rábanos
3 chiles anchos
2 granos de pimienta

Jalisco style red pozole

Ingredients

1 lb whole dried hominy
4 tablespoons powdered lime
½ lb boneless pork
½ lb pig's head
1 pig's foot
1 boiling hen
3 onions
1 small head garlic
2 cloves garlic, toasted
1 bunch radishes
3 ancho chilies
2 peppercorns

1 cucharadita de vinagre
1 lechuga
limones, los necesarios
chile piquín y orégano al gusto.

1 teaspoon vinegar
1 iceberg lettuce
limes
piquín chili powder
oregano

Preparación

Cocer la gallina aparte en poca agua. Una vez cocida deshuesarla y desmenuzarla en trozos regulares. Guardar el caldo. Hervir el maíz con las cucharadas de cal hasta que al frotarlos se desprenda la cáscara. Restregar y lavar bien. Descabezar los granos quitando la punta dura y poner a hervir con una cabeza de ajo desdentada y pelada. Cuando los granos revienten, añadir la carne partida en trozos, la pata cortada en cuatro, la carne y el caldo de gallina. De ser necesario, agregar agua hirviendo a medida que haga falta. Cuando la carne esté bien cocida, sazonar y dejar hervir por diez minutos más. Mientras se cuece la carne, tostar ligeramente los chiles y remojar en agua caliente, desvenarlos y quitarles las semillas, molerlos con los dientes de ajo asados, los granos de pimienta y el vinagre. Colar, freír y sazonar con sal al gusto y agregar al caldo. Se sirve en cazuelas o platos soperos. En la mesa se colocan platos conteniendo la lechuga y los rábanos cortados, la cebolla finamente picada, los limones partidos, el chile piquín

Preparation

Boil the hen, not using a lot of water. When cooked, remove meat from the bones and shred coarsely. Reserve the cooking liquid.
Boil the hominy with the powdered lime until the skin comes off easily when a kernel is rubbed between the fingers. Rub the kernels together to remove the skins and rinse well. Pinch off the hard point and boil the corn with the head of garlic separated into cloves and peeled. When the kernels burst, add the meat cut into small pieces, the quartered pig's foot, the chicken meat and broth. If necessary, add boiling water during cooking time. When the meat is tender, season to taste with salt and pepper and cook for ten minutes longer.
Meanwhile toast the chiles and soak in hot water. Remove seeds and veins. Blend the chilies and soaking water with the two cloves of toasted garlic, peppercorns and vinegar. Strain, fry, season with salt to taste and add to the pozole.
Serve in deep dishes or soup plates. Put the shredded lettuce, sliced radishes, finely chopped onion, lime

y el orégano para que cada quien se sirva a su gusto. Rinde seis porciones.

wedges, chili powder and oregano into separate dishes for topping the pozole according to individual taste. Serves six.

Pozole verde

Ingredientes

½ kg de maíz cacahuazintle
4 cucharadas de cal
¼ kg de lomo de cerdo
¼ de kg de cabeza de cerdo
1 pata de cerdo
100 gr de pepita de calabaza
8 hojas de acelga
4 chiles poblanos
2 chiles jalapeños
3 cebollas
2 dientes de ajo
1 cabeza chica de ajo
1 manojo de rábanos
2 lechugas pequeñas
limones, los necesarios
1 clavo
1 pizca de comino molido
chile piquín y orégano al gusto
sal

Green pozole

Ingredients

1 lb dried hominy
4 tablespoons powdered lime
½ lb boneless pork
½ lb pig's head
1 pig's foot
3 oz green pumpkin seeds
8 leaves Swiss chard
4 poblano chilies
2 jalapeño chilies
1 pinch ground cumin
1 clove
3 onions
2 cloves garlic
1 small head of garlic
1 bunch radishes
2 small iceberg lettuces
piquín chili powder
oregano
limes
salt to taste

Preparación
Hervir el maíz con las cucharadas de cal hasta que al frotarlos se desprenda la cáscara. Restregar y lavar bien. Descabezar los granos quitando la punta dura y poner a

Preparation
Boil the hominy with the powdered lime until the skin comes off when a kernel is rubbed between the fingers. Rub the kernels together to remove the skins and rinse well.

hervir con una cabeza de ajo desdentada y pelada. Cuando los granos revienten, agregar la carne partida en trozos pequeños y la pata cortada en cuatro. De ser necesario, agregar agua hirviendo a medida que haga falta. Cuando la carne esté bien cocida, sazonar y dejar hervir por diez minutos más. Mientras se cuece la carne, pelar las pepitas y tostarlas ligeramente en el comal; desvenar y quitar las semillas a los chiles poblanos y jalapeños. Moler todo con los dientes de ajo, el clavo, la pizca de comino, una lechuga y las hojas de acelga. Poner sal al gusto y freír. Colar y agregar al caldo. Servir en cazuelas o platos soperos. En la mesa poner platos conteniendo la lechuga y los rábanos picados, la cebolla finamente picada, los limones partidos, el chile piquín y el orégano para que cada quien se sirva a su gusto. Rinde seis porciones.

Pinch off the hard point and boil the corn with the head of garlic separated into cloves and peeled. When the kernels burst open, add the meat cut into small pieces, the quartered pig's foot, the chicken meat and broth. If necessary, add boiling water during cooking time. When the meat is tender, season to taste and cook for ten minutes longer.

Meanwhile, shell the pumpkin seeds and toast lightly on a griddle; remove seeds and veins from the chilies. Blend all these ingredients with the 2 cloves of garlic, cumin, one lettuce and the chard leaves. Fry, salt to taste, strain and add to the pozole.

Serve in deep dishes or soup plates. Put shredded lettuce, sliced radishes, finely chopped onion, lime wedges, chili powder and crumbled oregano into separate dishes for topping the pozole according to individual taste. Serves six.

Sopas secas

Arroz a la mexicana

Ingredientes

2 tazas de arroz
1 cebolla grande
3 dientes de ajo
4 tazas de caldo

Rice

Mexican style rice

Ingredients

2 cups rice
1 large onion
3 cloves garlic
4 cups chicken broth

1½ tazas de puré de jitomate
4 cucharadas de aceite
½ taza de chícharos cocidos
2 zanahorias cocidas

1½ cups tomato puree
4 tablespoons oil
½ cup cooked peas
2 boiled carrots, diced
½ cup oil

Preparación

Remojar el arroz en agua caliente durante 15 minutos, colar y enjuagar con agua fría. Colar nuevamente y secar muy bien. En la licuadora poner la cebolla y el ajo con media taza de caldo y licuar hasta que quede una pasta suave. Calentar el aceite en un sartén y freír el arroz hasta que esté dorado. Colocar en una cacerola, agregar el puré de cebolla, el de jitomate y el caldo. Añadir sal y pimienta al gusto. Cocer a fuego lento, cuando comience a hervir bajar el fuego al mínimo, tapar y dejar hervir hasta que casi se haya consumido todo el líquido; agregar los chícharos y las zanahorias cortadas en cuadritos y continuar cociendo hasta que el arroz haya absorbido todo el líquido. Rinde seis porciones.

Preparation

Soak rice in hot water for 15 minutes; strain and rinse under cold water. Strain again and leave to drain thoroughly. Blend onion and garlic with ½ cup of broth until smooth. Heat the oil in a skillet and fry the rice until golden. Empty into a pan, add onion mixture, tomato puree and broth. Add salt and pepper to taste. Cook over high heat and when boiling, cover and simmer as gently as possible until almost dry. Add the peas and carrot and continue to cook until the rice has absorbed all the liquid. Serves six.

Arroz blanco

Ingredientes

2 tazas de arroz
2 tazas de leche
150 gr de mantequilla

White rice

Ingredients

2 cups rice
2 cups milk
5 oz butter

300 gr de queso añejo
2 elotes
½ cebolla chica picada
3 dientes de ajo
4 cucharadas de manteca

10 oz grated queso añejo or
dry Feta cheese
2 ears of corn
½ small onion
3 cloves garlic
4 tablespoons lard

Preparación

Remojar el arroz en agua caliente durante 20 minutos. Colar, lavar en agua fría y volver a colar. Secar bien. Hervir el elote y desgranarlo. En una cacerola freír la cebolla, el ajo y el arroz. Quitar el exceso de grasa antes de que dore y agregar dos tazas de agua fría. Cuando se consuma, añadir la leche y sazonar con sal. Cuando casi se haya consumido el líquido, agregar el elote, tapar y dejar hervir a fuego lento hasta que los granos de arroz se separen unos de otros. Retirar del fuego, añadir la mantequilla en trocitos y tapar para que se derrita. Espolvorear con el queso y servir. Rinde seis porciones.

Preparation

Soak the rice in hot water for 20 minutes. Drain, rinse well under cold water and leave to drain thoroughly.
Boil the ears of corn then strip off the kernels. Fry the finely chopped onion, garlic and rice in a saucepan without allowing to color. Drain off excess oil and add 2 cups cold water. When this has boiled off, add the milk and salt. When almost dry again, add reserved corn kernels and simmer until the rice grains separate. Remove from heat, stir in nuts of butter and cover to let it melt. Sprinkle with cheese. Serves six.

Arroz rojo

Red rice

Ingredientes

2 tazas de arroz
3 cucharadas de manteca
2 chorizos
1 taza de chícharos

Ingredients

2 cups rice
3 tablespoons lard
2 chorizos
1 cup peas

1 papa
3 jitomates grandes
2 zanahorias
3 dientes de ajo
½ cebolla pequeña
3 ramas de perejil
2 tazas de caldo

1 potato
3 large tomatoes
2 carrots
3 cloves garlic
½ small onion
3 sprigs parsley
2 cups chicken broth
salt and pepper

Preparación

Remojar el arroz en agua caliente por 20 minutos. Colar, lavar con agua fría, colar de nuevo y secar bien. Asar los jitomates, pelarlos y molerlos con la cebolla, el ajo y sal al gusto. Pelar las papas y las zanahorias y cortarlas en cuadritos, cocerlas en poca agua junto con los chícharos. Freír los chorizos en manteca, retirarlos y en la misma grasa freír el arroz hasta que dore. Retirar la grasa sobrante y agregar el puré de jitomate; sazonar y cuando espese agregar una taza de agua fría, sal, la verdura y el perejil. Cuando el líquido se consuma, agregar el caldo caliente y el chorizo, tapar y dejar hervir a fuego lento hasta que el arroz esté suave y los granos se separen unos de otros. Rinde seis porciones.

Preparation

Soak the rice in hot water for 20 minutes. Strain, rinse well under cold water and drain thoroughly. Toast the tomatoes, peel and blend with the onion, garlic and salt to taste. Peel the potatoes and carrots, dice and boil in a little water with the peas. Fry the chorizos in the lard; remove, and fry the rice in the same fat until golden. Pour off any excess fat and add the tomato puree. Season when thickened and add 1 cup of cold water, salt, vegetables and parsley. When the liquid has been absorbed, add the hot chicken broth and chorizo. Cover and simmer until the grains separate. Serves six.

Arroz verde

Ingredientes

2 tazas de arroz
4 tazas de caldo
6 chiles poblanos
2 aguacates
1 taza de chícharos
1 cebolla
2 dientes de ajo
4 ramas de perejil

Preparación

Remojar el arroz en agua caliente por 15 minutos; colar, lavar con agua fría, volver a colar y secar bien. Asar los chiles y guardarlos en una bolsa de plástico para que suden, pelarlos, desvenarlos y quitarles las semillas. Molerlos con el ajo, la cebolla y el perejil. Cocer los chícharos en poca agua. Freír el arroz y, cuando dore, retirar la grasa excedente. Agregar la salsa cuando comience a resecar y añadir una taza de agua fría. Al consumirse añadir el caldo caliente, tapar y, poco antes de que se consuma, agregar los chícharos. Servir adornado con rebanadas de aguacate. Rinde seis porciones.

Green rice

Ingredients

2 cups rice
4 cups chicken broth
6 poblano chilies
2 avocados
1 cup peas
4 tablespoons lard
1 onion
2 cloves garlic
4 sprigs parsley

Preparation

Soak the rice in hot water for 15 minutes. Strain, rinse well under cold water and drain thoroughly. Char the chilies and sweat them in a plastic bag then peel and remove seeds and veins. Blend with the garlic, onion and parsley. Boil the peas in a little water. Fry the rice in lard until golden and pour off the excess fat. Add the chili blend and when it begins to dry add one cup of cold water. When this has boiled off add the hot chicken broth and just before this dries off add the peas. Serve garnished with slices of avocado. Serves six.

7

Ensaladas | Salads

De berros con naranjas

Ingredientes

2 manojos de berros
6 naranjas en gajos
¼ de taza de piñones
¼ kg de queso cottage
1½ cucharadas de jugo de limón
¼ taza de aceite de oliva
½ cucharada de mostaza
1½ cucharadas de vinagre
sal al gusto

Preparación

En un tazón mezclar el aceite de oliva, el jugo de limón, el vinagre, la mostaza y sal. Colocar en la ensaladera el queso cottage en el centro y, a su alrededor, el berro y los gajos de naranja. Espolvorear los piñones y refrigerar durante 20 minutos. Agregar el aderezo a la hora de servir. Rinde seis porciones.

De frijol rojo con sardinas

Ingredientes

4 tazas de frijol rojo cocido
1 lata de sardinas en aceite
4 jitomates

Watercress and orange salad

Ingredients

2 bunches watercress
6 oranges, in sections
¼ cup pine nuts
½ lb cottage cheese
1½ tablespoons lime juice
¼ cup olive oil
½ tablespoon mustard
1½ tablespoons vinegar
salt to taste

Preparation

Mix the olive oil, lime juice, vinegar, mustard and salt in a small basin. Put the cottage cheese in the center of a salad bowl and arrange the watercress and orange sections around it. Sprinkle with pine nuts and refrigerate for 20 minutes. Add dressing just before serving. Serves six.

Red bean salad with sardines

Ingredients

4 cups cooked red kidney beans
1 can sardines in oil

112

2 huevos duros 6 chiles serranos en vinagre 3 cebollas 1 cucharadita de salsa inglesa ¼ taza de vinagre ¼ taza de aceite de oliva sal, pimienta y orégano al gusto	4 tomatoes 2 hard-cooked eggs 6 pickled serrano chilies 3 onions 1 teaspoon Worcestershire sauce ¼ cup vinegar ¼ cup olive oil salt, pepper and oregano to taste

Preparación

Escurrir muy bien los frijoles; rebanar finamente la cebolla y dejarla en vinagre durante una hora. Pelar y rebanar los jitomates y cortar los huevos duros en rodajas. Cortar los chiles en tiritas. En una ensaladera poner los frijoles, la salsa inglesa, la cebolla y el vinagre, los jitomates, chiles, aceite de oliva, sal, pimienta y orégano; incorporar todo y adornar con los huevos duros y las sardinas. Rinde seis porciones.

Preparation

Drain the beans well; slice the onions thinly and leave in vinegar for 1 hour. Peel and slice the tomatoes and cut the eggs into rounds. Cut the chilies into strips. Put beans, Worcestershire sauce, onion, vinegar, tomatoes, chilies, olive oil, salt, pepper and oregano in a salad bowl and mix gently. Garnish with the hard-cooked egg and sardines. Serves six.

De jícama

Jícama salad

Ingredientes	**Ingredients**
2 jícamas grandes 1 cebolla chica 1 aguacate grande 1 taza de salsa catsup 2 cucharadas de aceite de oliva	2 large jícamas 1 small onion 1 large avocado 1 cup tomato ketchup 2 tablespoons olive oil 2 tablespoons soy sauce

113

2 cucharadas de salsa de
soya
¼ taza de cilantro picado
sal al gusto

¼ cup finely chopped coriander
salt to taste

Preparación
Pelar y rallar las jícamas, agregar el cilantro picado, la cebolla picada, la salsa de soya, la salsa catsup y el aguacate cortado en cuadritos. Incorporar todo, agregar sal y bañar con el aceite de oliva. Rinde cuatro porciones.

Preparation
Peel and grate the jícamas. Add the coriander, finely chopped onion, soy sauce, ketchup and diced avocado. Mix well together, add salt to taste and pour over olive oil. Serves four.

De nopales

Ingredientes

½ kg de nopales
2 chiles serranos en vinagre
¼ kg de jitomates picados
¼ de cebolla picada
½ cucharada de consomé en polvo
¼ taza de vinagre
¼ cucharadita de orégano
¼ taza de cilantro picado
70 gr de queso fresco en cuadritos
¼ taza de aceite de oliva
4 cáscaras de tomate verde
½ cucharadita de bicarbonato

Nopal salad

Ingredients

1 lb cactus pads (nopales)
2 pickled serrano chilies
½ lb chopped tomatoes
¼ onion, finely chopped
½ tablespoon chicken stock powder
¼ cup vinegar
¼ teaspoon oregano
¼ cup finely chopped coriander
2½ oz diced queso fresco or Ricotta
¼ cup olive oil
4 tomatillo husks
½ teaspoon bicarbonate of soda

Preparación
Una vez limpios los nopales, cortar en cuadritos y poner a cocer en un litro de agua con bicarbonato y cáscaras de tomate. Hervir 30 minutos, enjuagar, escurrir y colocar en una ensaladera. Agregar los demás ingredientes y revolver. Rinde seis porciones.

Preparation
Cut the cleaned *nopales* into dice and boil for 30 minutes in 4 cups of water with the bicarbonate of soda and the tomatillo husks. Drain and rinse. Mix with the remaining ingredients in a salad bowl. Serves six.

Nopales

Nopales en chipotle adobado

Nopales

Nopales in *chipotle* sauce

Ingredientes

10 nopales tiernos
1 chipotle adobado
5 tomates verdes
½ cebolla
1 diente de ajo
1 cucharada de aceite
1 cucharadita de bicarbonato de sodio
sal al gusto

Ingredients

10 young nopales
1 chipotle adobado
5 tomatillos
½ onion
1 clove garlic
1 tablespoon oil
1 teaspoon bicarbonate of soda
salt to taste

Preparación
Una vez limpios los nopales, cortar en cuadritos y poner a hervir en un litro de agua con el bicarbonato de sodio y las cáscaras de los tomates durante 30 minutos. Enjuagar y escurrir. Picar la cebolla finamente, asar los tomates y molerlos con el ajo y el chipotle. Acitronar la cebolla

Preparation
Cut the cleaned *nopales* into dice and boil for 30 minutes in 4 cups of water with the bicarbonate of soda and tomatillo husks. Drain and rinse. Chop the onion finely, toast the tomatillos and blend with the garlic and *chipotle*. Fry the onion gently in a clay casserole,

en una olla, verter la salsa y agregar los nopalitos. Agregar sal y dejar hervir cinco minutos. Rinde cuatro porciones.

add the tomato puree and the *nopales*. Add salt to taste and allow to cook for five minutes. Serves four.

Nopales con picadillo

Ingredientes

10 nopales
¼ de carne de res molida
2 jitomates
1 cebolla chica
1 diente de ajo
3 cucharadas de aceite
1 cucharadita de bicarbonato de sodio
sal al gusto

Preparación

Limpiar los nopales, cortarlos en cuadritos y ponerlos a cocer por 30 minutos en un litro de agua con una cucharadita de bicarbonato. Cuando estén blandos enjuagar y escurrir. Calentar el aceite en una cacerola y freír la carne molida tapándola para que suelte jugo. Picar el jitomate, las papas, la cebolla y el ajo; agregarlos a la carne y dejar hervir moviendo con frecuencia hasta que esté bien cocido. Agregar los nopales, revolverlos, agregar sal y dejar que sazone. Rinde cuatro porciones.

Nopales with ground meat

Ingredients

10 nopales
½ lb ground beef
2 tomatoes
2 potatoes
1 small onion
1 clove garlic
3 tablespoons oil
1 teaspoon bicarbonate of soda
salt to taste

Preparation

Clean the *nopales*, dice and boil for 30 minutes in 4 cups of water with the bicarbonate of soda. When they are tender, drain and rinse.
Heat the oil in a clay casserole and fry the meat covered so that it produces juice. Chop the tomatoes, onion and garlic and dice the potatoes finely. Add to the meat and cook, stirring often, until done. Mix in the *nopales*, salt to taste and cook briefly for flavors to combine. Serves four.

Nopales con huevo

Ingredientes

10 nopales
3 huevos
3 jitomates
3 chiles serranos frescos
1 cebolla
2 cucharadas de aceite
sal al gusto

Preparación

Limpiar los nopales, cortarlos en cuadritos y ponerlos a hervir por 30 minutos en un litro de agua con una cucharadita de bicarbonato de sodio. Cuando estén cocidos, enjuagar y escurrir.

Picar finamente la cebolla y los chiles serranos. Cortar los jitomates en cuadritos. En un sartén grueso calentar el aceite y agregar todos los ingredientes a excepción de los huevos. Tapar y dejar cocer a fuego lento, moviendo de vez en cuando durante 20 minutos hasta que la mezcla seque. Añadir los huevos batidos y revolver rápidamente hasta que estén cocidos. Rinde cuatro porciones.

Nopales with eggs

Ingredients

10 nopales
3 eggs
3 tomatoes
3 fresh serrano *chilies*
1 onion
2 tablespoons oil
1 teaspoon bicarbonate of soda
salt to taste

Preparation

Clean the *nopales*, dice and boil for 30 minutes in 4 cups of water with the bicarbonate of soda. When they are tender, drain and rinse.

Chop the onion and chilies finely and dice the tomatoes. Heat the oil in a heavy skillet and add all the ingredients except the eggs. Cover and simmer for 20 minutes, stirring occasionally, until liquid has evaporated. Add the beaten eggs and stir rapidly until cooked. Serves four.

8

LEGUMBRES | VEGETABLES

Bolitas de papa con camarón

Ingredientes

3 cucharadas de camarón seco tostado y molido
3 papas grandes
2 huevos
2 cucharadas de queso blanco seco y rallado
salsa de jitomate mexicana, la necesaria
harina, la necesaria
aceite, el necesario
hojas de lechuga, las necesarias
sal al gusto

Preparación

Cocer las papas y hacerlas puré. Agregar el camarón molido, el queso rallado, los huevos batidos y un poco de harina para formar una pasta compacta. Hacer bolitas del tamaño de una nuez, pasarlas por harina y freír en aceite muy caliente. Servir en un platón bañadas con salsa y adornadas con lechuga. Rinde seis porciones.

Potato-shrimp balls

Ingredients

3 tablespoons dried shrimp, lightly toasted and ground
3 large potatoes
2 eggs
2 tablespoons grated Feta cheese
Mexican tomato sauce, as needed
flour, as needed
oil, as needed
lettuce leaves
salt to taste

Preparation

Boil the potatoes and make a puree. Add the ground shrimp, cheese, beaten eggs and enough flour to make a stiff paste. Shape into walnut sized balls, roll in flour and fry in very hot oil. Serve on a platter napped with tomato sauce and garnished with lettuce. Serves six.

Budín de calabacitas

Ingredientes

1 kg de calabacitas
2 tazas de harina de arroz
1 taza de azúcar
2 huevos
200 gr de mantequilla de-rretida
2 cucharaditas de polvo para hornear
1 cucharadita de sal
1 pizca de nuez moscada

Preparación

Rallar las calabacitas y ponerlas a hervir con muy poca agua y un po-quito de sal durante cinco minutos. Escurrir muy bien. Colocar en un recipiente todos los ingredientes junto con las calabacitas. Mezclar bien y vaciar en un molde enmante-cado y enharinado. Hornear a tem-peratura media por 30 minutos. Rinde ocho porciones.

Zucchini pudding

Ingredients

2 lb zucchini
2 cups rice flour
1 cup sugar
2 eggs
7 oz melted butter
2 teaspoons baking powder
1 teaspoon salt
pinch of ground nutmeg

Preparation

Grate the zucchini and cook in very little water and a pinch of salt for five minutes. Drain thoroughly. Put all the other ingredients in a mixing bowl and add zucchini. Stir well and empty into a buttered, floured mold. Bake in a medium oven for 30 minutes. Serves eight.

Budín de coliflor

Ingredientes

1 coliflor mediana
125 gr de mantequilla
2 latas de leche evaporada

Cauliflower pudding

Ingredients

1 medium cauliflower
4 oz butter
2 cans evaporated milk

2 cucharadas de cebollín picado
2 cucharadas de queso Chihuahua
2 cucharadas de harina
5 huevos
1 pizca de nuez moscada
1 pizca de pimienta de cayena
sal y pimienta al gusto

2 tablespoons snipped chives
2 tablespoons grated mild Cheddar
2 tablespoons flour
5 eggs
pinch of ground nutmeg
pinch of cayenne pepper
salt and pepper to taste

Preparación

Hervir la coliflor y cuando esté tierna licuar. Calentar la leche y agregar los huevos previamente batidos moviendo para que no se formen grumos. Agregar la mantequilla, la nuez moscada, la pimienta de cayena y la sal. En otro recipiente mezclar las cucharadas de harina con un poco de leche fría y agregar la leche caliente por una hora. Sacar del horno y dejar enfriar un poco, desmoldar y bañar con salsa blanca o adornar con el cebollín picado. Rinde ocho porciones.

Preparation

Boil the cauliflower and when tender, blend. Heat the milk and gradually add the beaten eggs, stirring constantly to prevent lumps. Add the butter, nutmeg, cayenne pepper and salt. Mix the flour with a little cold milk and add to the custard together with the cheese. Add the blended cauliflower and stir. Pour into buttered mold and set in a roasting pan of hot water to come halfway up. Bake in a hot oven for one hour. Remove, allow to cool slightly, unmold and nap with white sauce or sprinkle with chives. Serves eight.

Budín de chícharos

Ingredientes

1 kg de chícharos cocidos
125 gr de mantequilla
½ taza de azúcar granulada
3 yemas

Pea pudding

Ingredients

2 lb cooked peas
4 oz butter
½ cup sugar
3 eggs, separated

3 claras
125 gr de queso Chihuahua
175 gr de harina de arroz
1 cucharadita de sal
1½ cucharaditas de polvo de
hornear
2 tazas de jugo de naranja
¾ de taza de nuez picada

4 oz grated mild Cheddar
6 oz rice flour
1 teaspoon salt
1½ teaspoons baking powder
2 cups orange juice
¾ cup chopped pecans or
walnuts
sour cream

Preparación

Moler los chícharos. Derretir la mantequilla y dejarla enfriar. Batir las yemas hasta que espesen. Añadir el azúcar mientras se bate y agrega alternadamente la mantequilla y el harina de arroz. Mezclar muy bien la pasta de chícharos con el queso y añadir el polvo de hornear. Mezclar todo con las claras batidas a punto de turrón. Vaciar la mezcla en un recipiente enmantecado y enharinado y hornear a temperatura alta durante diez minutos. Bajar la temperatura a 180°C y hornear por 55 minutos más. Debe quedar esponjoso arriba y dorado de los lados. Se sirve con salsa de jugo de naranja, nuez picada y crema agria. Rinde ocho porciones.

Preparation

Blend the peas. Melt the butter and allow to cool. Beat the egg yolks until thick, at the same time adding the sugar, rice flour and melted butter alternately. Mix the cheese into the pea puree and add baking powder. Beat egg whites to stiff peaks and fold into puree. Pour into a buttered and floured mold and bake in a hot oven for ten minutes. Lower the temperature to 350°F and bake for 55 minutes longer. The pudding should be puffed on top and golden round the edges. Serve with a sauce made of the orange juice and chopped nuts, and sour cream.

Budín de elote

Corn pudding

Ingredientes

1 kg de elote maduro
3 claras

Ingredients

2 lb starchy corn kernels
3 eggs, separated

3 yemas
175 gr de harina de arroz
½ taza de azúcar granulada
125 gr de mantequilla
1 cucharadita de sal
25 gr de queso Chihuahua
1½ cucharaditas de polvo
de hornear
¼ de crema agria

6 oz rice flour
½ cup sugar
4 oz butter
1 teaspoon salt
1 oz grated mild Cheddar
1½ teaspoons baking powder
1 cup sour cream

Preparación

Licuar los granos de elote con muy poca leche. Derretir la mantequilla y dejarla enfriar. Batir las yemas hasta que espesen. Añadir el azúcar mientras se bate y agregar alternadamente la mantequilla y el harina de arroz. Mezclar muy bien los elotes licuados con el queso y añadir el polvo de hornear. Mezclar todo con las claras batidas a punto de turrón. Vaciar la mezcla en un recipiente enmantecado y enharinado y hornear a temperatura alta durante diez minutos. Bajar la temperatura a 180°C y hornear 55 minutos más. Debe quedar esponjoso arriba y dorado de los lados. Se sirve de inmediato acompañado con crema espesa agria. Rinde ocho porciones.

Preparation

Blend the corn kernels with a very little milk. Melt the butter and allow to cool. Beat the egg yolks until thick, at the same time adding the sugar, rice flour and melted butter alternately.

Mix the cheese well into the blended corn and add the baking powder. Beat egg whites to stiff peaks and fold into corn mixture. Pour into a buttered and floured mold and bake in a hot oven for ten minutes. Lower the temperature to 350°F and bake for 55 minutes longer. The pudding should be puffed on top and golden round the edges. Serve immediately accompanied with sour cream. Serves eight.

Budín de zanahoria

Ingredientes

1 kg de zanahorias
3 claras

Carrot pudding

Ingredients

2 lb carrots
3 eggs, separated

3 yemas
175 gr de harina de arroz
½ taza de azúcar granulada
1 cucharadita de sal
25 gr de queso Chihuahua
1½ cucharaditas de polvo de hornear
¼ de crema agria

6 oz rice flour
½ cup sugar
1 teaspoon salt
1 oz grated mild Cheddar cheese
1½ teaspoons baking powder
1 cup sour cream

Preparación

Cocer las zanahorias en rebanadas y licuarlas con muy poca leche. Derretir la mantequilla y dejarla enfriar. Batir las yemas hasta que espesen. Añadir el azúcar mientras se bate y agregar alternadamente la mantequilla y el harina de arroz. Mezclar muy bien las zanahorias licuadas con el queso y añadir el polvo de hornear. Mezclar todo con las claras batidas a punto de turrón. Vaciar la mezcla en un recipiente enmantecado y enharinado y hornear a temperatura alta durante diez minutos. Bajar la temperatura a 180°C y hornear por 55 minutos más. Debe quedar esponjoso de arriba y dorado a los lados. Se sirve con sal y crema agria. Rinde ocho porciones.

Preparation

Cook the sliced carrots and blend with a very little milk. Melt the butter and allow to cool. Beat the egg yolks until thick, at the same time adding the sugar, rice flour and melted butter alternately. Mix the cheese well into the blended carrots and add the baking powder. Beat egg whites to stiff peaks and fold into corn mixture. Pour into a buttered and floured mold and bake in a hot oven for ten minutes. Lower the temperature to 350°F and bake for 55 minutes longer. The pudding should be puffed on top and golden round the edges. Serve accompanied with salted sour cream. Serves eight.

Calabacitas a la mexicana

Zucchini Mexican style

Ingredientes

½ kg de calabacitas
100 gr de queso fresco

Ingredients

1 lb zucchini
3 oz. queso fresco or Ricotta

2 chiles poblanos
3 elotes
3 jitomates
1 cebolla
1 diente de ajo
1 rama de epazote

2 poblano chilies
3 ears of corn
3 tomatoes
1 onion
1 clove garlic
1 sprig epazote

Preparación

Asar los chiles, pelarlos y quitarles las semillas bajo el chorro de agua. Cortarlos en tiras. Desgranar los elotes. Picar finamente la cebolla y el ajo. Cortar las calabacitas en dados. En una cazuela freír la cebolla y el ajo, añadir el jitomate, la rama de epazote y sal al gusto. Una vez frito agregar una taza de agua, las calabazas, el elote y los chiles. Dejar hervir diez minutos. Rinde seis porciones.

Preparation

Toast the chilies, peel and remove the seeds under running water. Cut into strips. Separate the kernels from the ears of corn. Chop the onion and garlic finely, and dice the zucchini. Fry the onion and garlic, add the chopped tomatoes, *epazote* and salt to taste. When cooked, add one cup of water, the zucchini, corn and strips of chili. Cook for ten minutes. Serves six.

Calabacitas estilo Michoacán

Michoacan style zucchini

Ingredientes

1 kg de calabacitas
4 cucharadas de cebolla picada
4 cucharadas de hojas de epazote picadas
4 cucharadas de aceite
3 jitomates medianos
2 chiles serranos frescos
2 dientes de ajo
sal al gusto

Ingredients

2 lb zucchini
4 tablespoons chopped onion
4 tablespoons chopped epazote leaves
4 tablespoons oil
3 medium tomatoes
2 serrano chilies
2 cloves garlic
salt to taste

Preparación

Asar y pelar los jitomates y los chiles. Calentar el aceite y agregar las calabacitas cortadas en cuadritos, la cebolla, el epazote y la sal. Tapar el sartén y cocinar a fuego medio revolviendo de vez en cuando por diez minutos.

Licuar los jitomates, los chiles y el ajo y agregar a las calabacitas. Cocer a fuego medio sin tapar hasta que las calabacitas estén suaves. Retirar cuando los vegetales estén húmedos pero no con demasiado jugo, sazonar y servir. Rinde cuatro porciones.

Preparation

Toast and peel the tomatoes and chilies. Heat the oil in a skillet and add the diced zucchini, onion, *epazote* and salt. Cover and cook over medium heat for ten minutes, stirring occasionally.

Blend the tomatoes, chilies and garlic and add the zucchini. Cook uncovered over medium heat until the zucchini are tender. Remove from heat when most of the liquid has evaporated but the vegetables are still juicy and add salt. Serves four.

Chayotes empanizados

Breaded chayotes

Ingredientes

3 chayotes
2 huevos
200 gr de pan molido
100 gr de mantequilla
½ taza de aceite
salsa de jitomate, la necesaria (p. 64)
sal y pimienta al gusto
sal de ajo al gusto

Ingredients

3 chayotes
2 eggs
7 oz fine dry breadcrumbs
3 oz butter
½ cup oil
tomato sauce (p. 64)
salt and pepper to taste
garlic salt to taste

Preparación

En una olla cubrir los chayotes enteros con agua, dejar hervir a fuego medio hasta que estén suaves. Pelar y cortar horizontalmente en rebanadas gordas. Mojar en huevo

Preparation

Put the whole *chayotes* in a saucepan and cover with water. Cook over medium heat until tender. Peel and cut lengthwise into thick slices. Dip into egg beaten with salt then

batido con sal y cubrir con pan molido sazonado con sal de ajo y pimienta. Freír las rebanadas en una mezcla de aceite y mantequilla hasta que se doren bien. Servir con salsa de jitomate. Rinde seis porciones.

turn in breadcrumbs seasoned with garlic salt and pepper. Fry the slices in a mixture of oil and butter until golden. Accompany with tomato sauce. Serves six.

Chayotes rellenos

Ingredientes

3 chayotes
300 gr de queso Chihuahua en tiras
175 gr de queso fresco
3 cucharadas de mantequilla
¼ de crema agria
1 cebolla mediana
2 dientes de ajo
4 huevos
sal y pimienta al gusto

Preparación

Cubrir los chayotes con agua hirviendo con sal y cocer a fuego medio hasta que estén suaves. Escurrir y dejar enfriar. Cuando estén fríos cortar en mitades y quitarles el centro y las semillas. Con mucho cuidado, sacarles la carne y dejar intacta la piel exterior. Machacar la pulpa y dejar escurrir en un colador durante unos minutos. Derretir dos cucharadas colmadas de mantequilla y acitronar la cebolla y el ajo finamente picados a fuego lento. Retirar del fuego. Agregar revolviendo los hue-

Stuffed chayotes

Ingredients

3 chayotes
10 oz mild Cheddar in strips
6 oz queso fresco or Ricotta
3 heaped tablespoons butter
1 cup sour cream
1 medium onion
2 cloves garlic
4 eggs
salt and pepper to taste

Preparation

Cook whole chayotes in boiling salted water to cover until tender. Drain and allow to cool. When cold, cut in half lengthwise and remove centers and kernels. Very carefully scoop out the flesh, leaving the skins whole. Mash the pulp and leave to drain in a colander for a few minutes. Melt the butter and gently fry the finely chopped onion and garlic. Remove from heat. Add the beaten eggs, chayote pulp crumbled Ricotta, salt and pepper. Stir well and fill the chayote skins, top-

vos batidos, la cebolla y el ajo, la pulpa del chayote, el queso fresco rallado, sal y pimienta. Mezclar bien y rellenar los chayotes. Colocarlos en una fuente para horno previamente engrasada, poniendo encima de cada uno las tiras de queso y la crema agria. Hornear a 200°C hasta que comiencen a dorar. Rinde seis porciones.

ping with strips of Cheddar and sour cream. Place in a buttered ovenproof dish and bake at 400°F until beginning to brown. Serves six.

Chilacas a la crema

Ingredientes

1 kg de chilacas
200 gr de queso Chihuahua
2 tazas de crema
2 cebollas grandes
4 cucharadas de aceite
sal y azúcar al gusto

Preparación

Asar, pelar y cortar las chilacas en tiras. Cortar la cebolla en rebanadas finas. Calentar aceite en un sartén, acitronar las cebollas, agregar las chilacas y dejar freír diez minutos sin que se doren. Bajar el fuego y añadir la crema, la sal y el azúcar. Cocinar unos minutos sin permitir que la crema hierva. Vaciar en un refractario, cubrir con rebànadas de queso y gratinar en el horno hasta que se derrita el queso. Rinde cuatro porciones.

Chilaca chilies in cream

Ingredients

2 lb chilaca *chilies*
7 oz mild Cheddar
2 cups crème fraîche
2 large onions
4 tablespoons oil
salt and sugar to taste

Preparation

Toast and peel the chilies and cut into strips. Cut the onion into thin slices. Heat the oil in a skillet and fry onion gently until transparent, add strips of chili and fry for ten minutes without allowing to color. Lower the heat and add cream, salt and sugar. Cook a few minutes longer, without boiling. Empty into an ovenproof dish and top with slices of cheese. Bake until the cheese is melted and golden. Serves four.

Chilacayotes en pipián

Ingredientes

½ kg de chilacayotes
200 gr de lomo de puerco
1 cebolla chica
8 chiles anchos
2 cucharadas de ajonjolí
½ cucharadita de azúcar
½ tortilla frita
½ taza de aceite
1 diente de ajo
1 pizca de pimienta
1 pizca de canela
1 pizca de clavo
sal al gusto

Preparación

Hervir la carne de cerdo. Aparte picar y hervir los chilacayotes. Escurrir. Tostar, desvenar, remojar y moler el chile. Tostar el ajonjolí y moler con la tortilla frita, el ajo, la cebolla y las especias. Freír en muy poco aceite. Agregar el chile, el caldo en el que hirvió la carne, la carne cortada en dados y los chilacayotes. Sazonar al gusto y agregar el azúcar. Hervir a fuego lento 15 minutos, servir. Rinde cuatro porciones.

Chilacayote squash in pipian

Ingredients

1 lb chilacayotes
7 oz pork tenderloin
1 small onion
8 ancho chilies
2 tablespoons sesame seeds
½ teaspoon salt
½ fried tortilla
½ cup oil
1 clove garlic
pinch of pepper
pinch of ground cinnamon
pinch of ground cloves
salt to taste

Preparation

Boil the pork. Dice the chilacayotes and boil, then drain. Toast, devein, soak and blend the chilies. Toast the sesame seeds and grind in a mortar with the fried tortilla, garlic, onion and spices. Fry this paste in a very little oil. Add the chili, the cooking water of the pork, cubed pork and the chilacayotes. Season with salt and add sugar. Simmer for 15 minutes. Serves four.

Guauzoncles

Ingredientes

1 manojo de guauzoncles
300 gr de queso fresco
1 taza de harina
3 huevos
salsa de jitomate (p. 64)

Preparación

Separar las partes frondosas de los guauzoncles y poner a hervir durante diez minutos, escurrir. Rellenar con un trocito de queso y apretar para compactar. Espolvorear ligeramente con el harina, pasar por huevo batido y freír hasta que doren. Se sirven con salsa de jitomate. Rinde cuatro porciones.

Guauzoncles

Ingredients

1 bunch guauzoncles (green amaranth)
10 oz queso fresco or Ricotta
1 cup all-purpose flour
3 eggs
tomato sauce (p. 64)

Preparation

Cut off the top "seedy" part of the guauzoncles and boil for ten minutes. Drain well. Insert a finger of cheese between the branches and squeeze to compact. Dip in beaten egg and fry until golden. Accompany with tomato sauce. Serves four.

Hongos bravos

Ingredientes

½ kg de hongos
4 chiles serranos frescos
6 cebollitas de rabo largo
1 cabeza de ajo
4 cucharadas de aceite de oliva
sal al gusto

Wild mushrooms in chili

Ingredients

1 lb wild mushrooms
4 serrano chilies
6 green onions
1 head garlic
4 tablespoons olive oil
salt to taste

Preparación

Cortar la parte inferior del tallo de los hongos, lavar cuidadosamente y cortar a lo largo en cuatro partes. Pelar los ajos y partirlos en dos. Cortar a lo largo las cebollas en cuatro partes. Cortar los chiles en tiras finas.

Vaciar el aceite en una cacerola, cuando esté bien caliente freír los ajos hasta que estén negros. Sacarlos y freír las cebollitas en el mismo aceite; agregar las tiras de chile y los hongos. Dejar cocer tapado y a fuego lento. Cuando desaparece el aceite apagar el fuego. Se sirve bien caliente. Rinde cuatro porciones.

Preparation

Cut off the lower part of the stalk, wash the mushrooms thoroughly and quarter lengthwise. Peel the garlic and cut each clove in two. Quarter the onion and slice the chilies into fine strips.

Heat the oil and fry the garlic until very dark. Discard and fry the onion in the same oil, then add the chilies and mushrooms. Cover and simmer. When all the oil has been absorbed remove from heat. Eat very hot. Serves four.

Rajas de chile poblano

Ingredientes

12 chiles poblanos
2 cebollas medianas
6 cucharadas de aceite
sal al gusto

Poblano chili strips

Ingredients

12 poblano chilies
2 medium onions
6 tablespoons oil
salt to taste

Preparación

Asar y pelar los chiles; cortarlos en tiras finas. Cortar la cebolla en rebanadas finas; calentar el aceite en un sartén, agregar las cebollas y acitronar durante 3 minutos; añadir las tiras de chile y la sal. Cubrir y cocer durante ocho minutos sacudiendo el sartén de vez en cuando. Rinde seis porciones.

Preparation

Toast and peel the chilies and cut into strips. Slice the onion thinly. Heat the oil in a skillet and fry the onion gently for 3 minutes. Add the strips of chili and salt. Cover and cook for eight minutes longer, shaking the pan from time to time. Serves six.

Con crema

A la receta anterior se le agrega ¾ de taza de crema ácida y se dejan cocer a fuego lento por 8 minutos. Revolver hasta que la crema se haya espesado.

With cream

Add ¾ cup of sour cream to the above recipe and simmer for eight minutes. Stir when the cream has thickened.

Con papas

A la receta de rajas de chile poblano, se le agregan 3 cucharadas de aceite y 4 papas medianas cortadas en cuadritos y no demasiado cocidas. Freír las papas volteando suavemente hasta que estén ligeramente doradas.

With potatoes

Add 3 tablespoons of oil and 4 medium potatoes, diced and half cooked, to the recipe. The potatoes should be fried until golden, turning gently.

Con salsa de jitomate

A la receta de rajas de chile poblano se le agrega un puré elaborado con un kg de jitomates sin pelar y 2 dientes de ajo. Cocer a fuego medio sin tapar el sartén hasta que la salsa haya espesado. Sazonar al gusto.

With tomato sauce

Add a puree made of 2 lb of unpeeled tomatoes and 2 cloves of garlic. Simmer uncovered until thickened. Season to taste.

Hongos charros

Charro style wild mushrooms

Ingredientes

¼ kg de costillitas de cerdo
¼ kg de hongos naturales
¼ kg de jitomates
½ taza de caldo de carne
4 cucharadas de mantequilla
5 chiles poblanos
1 cebolla grande

Ingredients

½ lb pork ribs
½ lb wild mushrooms
½ lb tomatoes
¼ cup beef broth
4 tablespoons butter
5 poblano chilies
1 large onion

> 4 dientes de ajo
> 1 rama de epazote
> sal al gusto

> 4 cloves garlic
> 1 sprig epazote
> salt to taste

Preparación

Lavar bien, escurrir y cortar a lo largo en cuatro partes los hongos. Asar los jitomates, pelarlos y molerlos; picar la cebolla finamente. Asar, pelar, desvenar y cortar en rajas los chiles poblanos. En una cazuela de barro calentar la mantequilla, freír los ajos enteros, la cebolla y los hongos; dejar cocer tapado por diez minutos. Añadir el caldo, las costillas, las rajas de chile, el puré de jitomate y el epazote. Dejar cocer a fuego lento hasta que la carne esté tierna; servir muy caliente. Rinde cuatro porciones.

Preparation

Wash the mushrooms well, drain and cut into four lengthwise. Toast the tomatoes, peel and blend; chop the onion finely. Toast, peel and devein the chilies and cut into strips. Heat the butter in a clay casserole and fry the whole cloves of garlic, onion and mushrooms; cover and cook for ten minutes. Add broth, ribs, chili strips, tomato puree and *epazote* and cook until meat is tender. Serve very hot. Serves four.

Tortas de papa

Potato cakes

Ingredientes

¼ kg de papas
2 huevos
¼ kg de queso fresco
½ taza de harina
1 diente de ajo
vinagre, unas gotas
aceite, el necesario
sal al gusto
pimienta recién molida al gusto

Ingredients

½ lb potatoes
2 eggs
½ queso fresco *or Ricotta*
½ cup flour
1 clove garlic
few drops of vinegar
oil for frying
salt to taste
freshly ground pepper

Preparación

Cocer y moler las papas. Machacar el ajo y agregar al puré junto con el queso fresco desmoronado, sal y pimienta. Batir los huevos y mezclarlos con la preparación del puré. Añadir unas gotas de vinagre. Formar 12 tortitas pequeñas y pasarlas por el harina cuidando que queden bien cubiertas.

Cubrir un sartén con aproximadamente 1½ centímetros de aceite; calentar bien y freír las tortitas volteándolas una vez. Se acomodan sobre un plato cubierto con servilletas o dos toallas de papel. Se sirven calientes acompañándolas con salsa o caldillo de jitomate. Rinde cuatro porciones.

Preparation

Boil the potatoes and mash. Crush the garlic and add to the potato with the crumbled cheese, salt and pepper. Beat the eggs and mix into the puree. Shape into 12 small cakes and turn in flour, making sure the all the surface is covered.

Pour about ¾ inch oil into a skillet. Heat well and fry the potato cakes, turning once. Drain on a double sheet of kitchen paper. Serve hot with tomato sauce. Serves four.

9

Huevos | Eggs

Huevos ahogados

Ingredientes

6 huevos
4 jitomates
3 chiles poblanos
1 rodaja de cebolla
1 diente de ajo
1 rama de tomillo
1 hoja de laurel
1 cucharada de aceite
sal al gusto

Preparación

Tostar los chiles poblanos y pelar bajo el chorro de agua, desvenarlos y cortarlos en rajas. Preparar una salsa moliendo el jitomate, la cebolla, el ajo y sal al gusto. Freír la salsa en poco aceite y sazonarla, agregarle tres tazas de agua caliente, las rajas, la hoja de laurel y la rama de tomillo. Tapar. Cuando esté hirviendo, agregar los huevos partiéndolos directamente sobre la salsa. Tapar sin revolver y esperar a que se cuezan a fuego lento. Rinde seis porciones.

Huevos ahogados con nopalitos

Ingredientes

10 nopales
6 huevos

Eggs in tomato sauce

Ingredients

6 eggs
4 tomatoes
3 poblano chilies
1 round of onion
1 clove garlic
1 sprig thyme
1 bay leaf
1 tablespoon oil
salt to taste

Preparation

Toast the chilies, peel under running water, remove veins and cut into strips. Blend the tomatoes, onion, garlic and salt and fry the puree in a little oil. Season. Add three cups of hot water, chili strips, thyme and bay leaf. Cover. When boiling break the eggs into sauce. Do not stir. Cover and simmer until the eggs are set. Serves six.

Eggs in sauce with nopales

Ingredients

10 nopales
6 eggs

3 jitomates
1 cebolla de rabo
3 dientes de ajo
2 tazas de caldo de pollo
4 chiles serranos
2 cucharadas de aceite
1 cucharadita de orégano
sal y pimienta al gusto

3 tomatoes
1 green onion
3 cloves garlic
2 cups chicken broth
4 fresh serrano chilies
2 tablespoons oil
1 teaspoon oregano
salt and pepper to taste

Preparación

Cortar los nopales en tiras y cocerlos. Licuar la cebolla, los jitomates, los ajos y los chiles. Calentar el aceite en un sartén y freír la salsa. Una vez sazonada, agregar el caldo de pollo, sal y pimienta al gusto. Cuando comience a hervir, agregar los huevos rompiéndolos directamente sobre la salsa, bajar el fuego y tapar. Dejar que los huevos se cuezan, agregar los nopalitos y rociar con orégano. Rinde seis porciones.

Preparation

Cut *nopales* into strips and boil. Blend onion, tomatoes, garlic and chilies. Heat the oil in a skillet and fry the puree. When cooked through add the chicken broth, salt and pepper. When boiling, break the eggs into the sauce, lower heat, cover and cook until eggs are set. Add *nopales* and sprinkle with oregano. Serves six.

Huevos ahogados con queso

Eggs in sauce with cheese

Ingredientes

6 huevos
250 gr de queso panela
4 jitomates
3 chiles poblanos
½ cebolla
3 dientes de ajo

Ingredientes

6 eggs
9 oz dry Feta cheese
4 tomatoes
3 poblano chilies
3 cloves og garlic
2 tablespoons oil

> *2 cucharadas de aceite*
> *sal y pimienta al gusto*

> *salt and pepper to taste*

Preparación

Asar, pelar, desvenar los chiles y cortarlos en rajas. Asar, pelar y licuar los jitomates con la cebolla y los ajos. Colar. Calentar el aceite en un sartén y freír las rajas por tres minutos. Agregar la salsa licuada para que se sazone a fuego lento por cinco minutos. Incorporar los huevos a la salsa, rompiéndolos directamente en el sartén sin revolver. Cuando las claras estén cocidas y las yemas tiernas retirar del fuego. Servir con las tiras de queso encima. Rinde seis porciones.

Preparation

Toast, peel an devein the chilies and cut into strips. Toast, peel and blend the tomatoes with the onion and garlic. Strain. Heat the oil in a skillet and fry the chili strips for ten minutes. Add the blended sauce and simmer for five minutes. Break the eggs directly into the sauce and do not move them. When the whites are cooked and the yolks still runny remove from heat. Serve topped with strips of cheese. Serves six.

Torta de huevo

Omelette in tomato sauce

Ingredientes

4 huevos
4 tortillas
10 tomates
1 diente de ajo
1 rebanada gruesa de cebolla
2 chiles verdes serranos
1 rama de cilantro
1 cucharada de aceite
sal y pimienta al gusto

Ingredients

4 eggs
4 tortillas
10 tomatoes
1 clove garlic
1 thick round of onion
2 fresh serrano chilies
1 sprig coriander
1 tablespoon oil
salt and pepper to taste

Preparación
Hacer una salsa licuando los tomates, el ajo, los chiles, el cilantro, sal y pimienta. Cortar las tortillas en cuadros pequeños y freírlos, escurrir el aceite sobrante y agregar los huevos batidos. Cocer un poco y verter la salsa sobre la torta de huevo y tortilla, tapar y dejar que se termine de cocer a fuego lento. Rinde seis porciones.

Preparation
Blend the tomatoes, garlic, chilies, coriander, salt and pepper to make the sauce. Cut the tortillas into small squares and fry. Drain off excess oil, add the beaten eggs to skillet and cook the mixture before pouring sauce over. Cover and finish cooking over low heat. Serves six.

Huevos con pollo y puerco

Ingredientes

½ kg de lomo de puerco
1 cebolla mediana
½ pollo cortado en piezas
2 mollejas de pollo
3 higaditos de pollo
8 dientes de ajo
1 jitomate
1 taza de tomates verdes cocidos
2 tazas de caldo de carne
1 pizca de comino
4 granos de pimienta
1 pizca de azafrán
12 huevos
2 cucharadas de aceite
sal y pimienta al gusto

Eggs with chicken and pork

Ingredients

1 lb pork tenderloin
1 medium onion
½ chicken cut into pieces
2 chicken gizzards
3 chicken livers
8 cloves garlic
1 tomato
1 cup boiled tomatillos
2 cups cooking liquid
1 pinch cumin seeds
4 peppercorns
1 pinch saffron
12 eggs
2 tablespoons oil
salt and pepper to taste

Preparación

Cortar la carne de puerco en cuadritos, colocarla en una olla con un cuarto de cebolla, un diente de ajo, el pollo cortado en piezas, las mollejas, los higaditos, sal al gusto y agua hasta cubrir. Cuando hierva, bajar el fuego y dejar cocer por unos 35 minutos o hasta que la carne esté suave. Retirarla y dejar las mollejas por 20 minutos más. Colar la carne de cerdo y deshebrar la de pollo; las mollejas y la de cerdo se pican después finamente. Calentar el aceite y acitronar el resto de la cebolla cortada en rebanadas delgadas y tres dientes de ajos picados.

Pelar y picar el jitomate y moler los tomates verdes; agregar a la mezcla de cebolla y ajo y dejar cocer a fuego alto durante cinco minutos. Agregar dos tazas de caldo de la carne y dejar cocer a fuego lento. Moler en molcajete el comino, la pimienta y la pizca de azafrán hasta hacerlos polvo, agregar cuatro dientes de ajo molidos para formar una pasta y añadirla al caldo. Cuando comience a hervir agregar las carnes, sal y pimienta y dejar sazonar por unos minutos. Batir los huevos con una pizca de sal, bajar el fuego y agregarlos gradualmente, dejándolos resbalar por la orilla de la olla sin revolver, los huevos deben formar una masa sólida pero jugosa. Para que no se peguen pasar suavemente una espátula por los

Preparation

Cut the pork into cubes. Put in a saucepan with ¼ onion, 1 clove of garlic, chicken pieces, gizzards, livers and salt. Cover with water and bring to the boil, then lower the heat and cook for 35 minutes or until the meat is tender. Remove meats and cook gizzards 20 minutes longer. Shred chicken and chop pork and gizzards finely. Heat oil and gently fry the remaining onion, thinly sliced, and three finely chopped cloves of garlic.

Peel and chop the tomato and blend the tomatillos; add to the onion and garlic mixture and cook over high heat for five minutes. Add two cups cooking liquid from the meats and simmer. Grind the cumin, peppercorns, and saffron to a powder in a mortar or spice grinder, mix with the 4 remaining cloves of garlic ground to a paste and add to the sauce. When it boils, add the meats, salt and pepper and cook for a few minutes to combine flavors. Beat the eggs with a pinch of salt, lower the heat and gradually add to meat, sliding them down the side of the pan; do not stir. The eggs should form a solid but moist mass. To prevent sticking, slide a spatula along the sides and bottom of the pan and tip it so that the eggs cook evenly. Serve when the eggs are set, accompanied by *pasilla* sauce. Serves eight.

lados y el fondo de la olla, así como inclinarla para que los huevos se cuezan de manera pareja. Servir en cuanto esté listo con salsa de chile pasilla. Rinde ocho porciones.

Huevos jalapeños

Ingredientes

6 huevos
6 chiles jalapeños frescos
50 gr de queso fresco
1 cebolla chica
2 cucharadas de aceite
sal y pimienta al gusto

Preparación

Freír los chiles en una cucharada de aceite caliente, pelarlos, desvenarlos y cortarlos en rajas. Picar la cebolla finamente. Batir los huevos con sal y pimienta y agregarles el queso desmoronado. En una cucharada de aceite freír la cebolla y las rajas de chile. Agregar el huevo y dejar cocer la torta a fuego lento. Rinde seis porciones.

Huevos motuleños

Ingredientes

6 huevos
1 taza de frijoles refritos

Jalapa style eggs

Ingredients

6 eggs
6 jalapeño *chiles*
2 oz queso *fresco or Ricotta*
1 small onion
2 tablespoons oil
salt and pepper to taste

Preparation

Fry chilies in 1 tablespoon oil, peel, devein and cut into strips. Chop the onion finely, beat the eggs with salt and pepper and add the crumbled cheese. Fry the onion and chili strips in one tablespoon oil, add the beaten eggs and cook the omelette over low heat. Serves six.

Motul style eggs

Ingredients

6 eggs
1 cup refried beans

200 gr de jamón 3 jitomates 1 aguacate 1 taza de chícharos cocidos 6 tortillas ½ cebolla 1 diente de ajo 100 gr de queso fresco 3 chiles serranos en vinagre sal y pimienta al gusto	7 oz cooked ham 3 tomatoes 1 avocado 1 cup cooked peas 6 tortillas ½ onion 1 clove garlic 3 oz queso fresco or Ricotta 3 pickled serrano chili strips salt and pepper to taste

Preparación

Hacer una salsa moliendo el jitomate, el ajo, una taza de agua, sal y pimienta. Freír la salsa y agregar los chícharos. Calentar los frijoles refritos. Freír las tortillas procurando que queden blandas y colocarlas en un recipiente. Freír los huevos en aceite caliente. Poner una tortilla en cada plato, cubrirla con frijoles y trocitos de jamón y colocar el huevo encima. Bañar con la salsa y decorar con rodajas de cebolla, rajas de chile, aguacate rebanado y queso. Rinde seis porciones.

Preparation

Make a sauce by blending the tomatoes, garlic, one cup of water, salt and pepper. Fry the sauce and add the peas. Heat the beans. Fry the tortillas without letting them become crisp and keep warm. Cut the avocado into slices and the onion into rings. Fry the eggs one or two at a time. Place a tortilla on each plate, spread with beans and pieces of ham and place a fried egg on each. Nap with the sauce and garnish with onion rings, chili, avocado and crumbled cheese. Serves six.

Huevos rancheros

Ranch style eggs

Ingredientes	**Ingredients**
6 huevos 6 tortillas 3 jitomates	6 eggs 6 tortillas 3 tomatoes

2 chiles serranos frescos 1 diente de ajo 1 rebanada de cebolla 1 pizca de tomillo molido aceite, el necesario sal al gusto

3 fresh serrano chilies 1 clove garlic 1 slice onion 1 pinch powdered thyme oil for frying salt to taste

Preparación

Licuar los jitomates, los chiles, la cebolla y el ajo, sazonar con sal y tomillo. Freír todo en aceite caliente, agregar media taza de agua y dejar espesar. Freír ligeramente las tortillas y colocarlas en un recipiente. En aceite caliente hacer los huevos estrellados. Colocar una tortilla en cada plato, poner sobre ella un huevo estrellado y bañarlo con salsa. Rinde seis porciones.

Preparation

Blend the tomatoes, chilies, garlic and onion, seasoning with salt and thyme. Fry, then add ½ cup water and cook until thickened. Fry the tortillas lightly and keep them warm. Fry the eggs one or two at a time. Place a tortilla on each plate and top with a fried egg. Nap with sauce. Serves six.

Huevos revueltos a la mexicana

Mexican style scrambled eggs

Ingredientes

6 huevos
3 jitomates
2 chiles serranos
1 diente de ajo
1 rebanada de cebolla
aceite, el necesario
sal y pimienta al gusto

Ingredients

6 eggs
3 tomatoes
3 serrano chilies
1 clove garlic
1 slice onion
oil for frying
salt and pepper to taste

Preparación

Picar los jitomates, el ajo, la cebolla y los chiles verdes, freír todo en un sartén con aceite caliente. Batir los huevos con sal y pimienta al gusto, mezclarlos con los otros ingredientes y revolver hasta que se cueza. Rinde seis porciones.

Preparation

Chop the tomatoes, garlic, onion and chilies and fry. Beat the eggs with salt and pepper, mix into other ingredients and stir until set. Serves six.

10

ANTOJITOS MEXICANOS

Platillos elaborados
a base de tortillas

MEXICAN SPECIALTIES

Dishes based on
tortillas or corn dough

Budín azteca

Ingredientes

18 tortillas
salsa de tomate verde
1 taza de aceite
7 chiles poblanos
⅓ de cebolla en rebanadas
2 tazas de pollo deshebrado
2 tazas de queso Chihuahua rallado
sal al gusto

Para la salsa

Poner en la licuadora para formar una salsa no muy espesa:
3 tazas de tomates verdes cocidos (guardar el líquido)
2 dientes de ajo
3 chiles serranos frescos
2 cucharadas de cebolla picada
½ taza del agua en la que hirvieron los tomates
1½ tazas de crema agria
sal al gusto

Baked Aztec pudding

Ingredients

18 medium tortillas
tomatillo sauce (recipe below)
1 cup oil
7 poblano chilies
⅓ onion, sliced
2 cups shredded chicken
2 cups grated mild Cheddar cheese
salt to taste

Sauce

Blend into a thinnish sauce:
3 cups boiled tomatillos (reserve cooking water)
2 cloves garlic
3 fresh serrano chilies
2 tablespoons chopped onion
½ cup cooking water from the tomatillos
1½ cups sour cream
salt to taste

Preparación

Freír la salsa a fuego alto por ocho minutos. Asar, pelar y desvenar los chiles; cortarlos en tiritas. Calentar 3 cucharadas de aceite en un sartén y acitronar la cebolla, agregar las tiras de chile y sal. Tapar el sar-

Preparation

Fry the sauce over high heat for eight minutes.
Toast, peel and devein the *poblano* chilies then cut into strips. Heat 3 tablespoons of oil in a skillet and fry onion gently until transparent,

tén y dejar que se cueza hasta que los chiles estén suaves (alrededor de ocho minutos).

En un sartén pequeño calentar el aceite restante y freír las tortillas una por una por unos pocos segundos sin que se doren o endurezcan. Colocar seis tortillas en el fondo de un molde para horno, agregar en capas la mitad del pollo y de las tiras de chile, un tercio de la crema, del queso y un poco de salsa. Repetir la operación hasta que se terminen los ingredientes, finalizando con una capa de tortillas. Rociar con el resto de la salsa, crema agria y queso. Calentar el horno a 180°C y hornear 25 minutos o hasta que esté bien caliente y el queso se haya derretido. Rinde seis porciones.

then add the chili strips and salt. Cover and cook until tender (about eight minutes).

Heat the remaining oil in a small skillet and fry the tortillas one by one for a few seconds without allowing to color or become crisp. Arrange 6 tortillas over the bottom of an ovenproof dish, cover with a layer of half the chicken and chili strips, one third of the cream and cheese and a little sauce. Repeat until all the ingredients are used, finishing with a layer of tortillas. Top with the remaining sauce, cream and cheese. Bake in a 350°F oven until the cheese has melted. Serves six.

Coyoles

Ingredientes

¼ kg de masa de maíz azul
1½ tazas de requesón
½ taza de manteca
1½ tazas de frijoles de la olla
5 chiles serranos frescos
1 manojo pequeño de epazote

Preparación

Mezclar la masa con la manteca y dejarla reposar. Moler el chile verde con un poco de agua hasta que se forme un puré; mezclar con la

Coyoles

Ingredients

½ lb blue corn dough
1½ cups cottage cheese
½ cup lard
1½ cups boiled beans
5 serrano chilies
1 small bunch epazote

Preparation

Knead the lard into the dough and allow to rest. Blend the chilies with a little water into a puree; mix with the dough. Blend the beans. Take a

149

masa. Moler los frijoles, tomar un poco de masa, del tamaño de un huevo y formar un disco ovalado, poner en medio los frijoles con requesón y una ramita de epazote. Cerrar, tortear y cocer en el comal de ambos lados. Rinde cuatro porciones.

piece of dough about the size of an egg and pat out into an oval. Put a portion of beans, cheese and *epazote* in the center, fold over. Pat between hands to flatten slightly. Cook on a griddle on both sides. Makes four.

Chalupas poblanas

Ingredientes

¼ kg de masa de tortillas
125 gr de lomo de puerco
2 cebollas
1½ tazas de salsa verde (p. 65)
2 tuétanos
75 gr de manteca

Chalupas poblanas

Ingredients

½ lb corn dough
4 oz pork tenderloin
2 onions
1½ cups green sauce (p. 65)
2 marrow bones
2½ oz lard

Preparación

Hervir la carne de puerco con los tuétanos y la cebolla. Mezclar los tuétanos calientes con la masa y hacer tortillas pequeñas, de ocho centímetros de diámetro, ponerlas sobre el comal y cuando se puedan levantar sin que la masa se pegue, voltear y pellizcar los bordes para que queden levantados. Freírlas en manteca caliente y colocar sobre ellas el lomo desmenuzado, salsa verde, cebolla finamente picada y un poco de manteca caliente requemada. Se sirven calientes. Rinde cuatro porciones.

Preparation

Boil the pork with the marrow bones and onion. Mix the hot marrow with the dough and make small tortillas about 2½ inches in diameter. Place them on the griddle and when they can be lifted off easily without sticking, turn over and pinch up the edges. Fry them in lard and fill with shredded pork, sauce, finely chopped onion and a little very hot lard. Four servings.

Papa-dzules

Ingredientes

12 tortillas
1 taza de salsa de jitomate
2 ramas grandes de epazote
2½ tazas de agua
¼ kg de pepitas de calabaza peladas
3 o 4 cucharadas de caldo colado del epazote
5 huevos cocidos
sal al gusto

Preparación

Hervir el epazote en agua con un poco de sal por 5 minutos para que el agua tome el sabor de la hierba. Moler las pepitas de calabaza tostadas tanto como sea posible. Colocarlas en un plato pequeño y rociarlas con el caldo del epazote. En cuanto sea posible, amasarlas. La pasta debe exprimirse, casi de inmediato ésta comenzará a escurrir gotitas de aceite. Inclinar levemente el plato para que éste se junte con la parte inferior, en poco tiempo se reunirán 3 o 4 cucharadas de aceite con las que deberá rociar los papa-dzules.

Colocar la pasta en la licuadora con el resto del caldo de epazote y licuar hasta que quede una mezcla suave. Ponerla en un sartén grueso y calentarla revolviendo cons-

Papa-dzules

Ingredients

12 tortillas
1 cup tomato sauce
2 large sprigs epazote
2½ cups water
½ lb peeled squash seeds
3 or 4 tablespoons cooking water from epazote
5 hard-cooked eggs, chopped
salt to taste

Preparation

Boil the *epazote* with a little salt for five minutes to flavor the water. Toast the squash seeds and grind as finely as possible. Put on a small plate and sprinkle with *epazote* liquid and knead together. The paste must be squeezed, and almost immediately drops of oil will begin to appear. Tip the plate slightly to collect the oil. Three or four tablespoons will be obtained for sprinkling on the papa-dzules.

Put the paste in a blender with the rest of the *epazote* liquid and blend until smooth. Pour into a heavy skillet and heat, stirring constantly, until it thickens slightly. Remove from heat.

Dip each tortilla in this sauce to coat. Place a little chopped egg along the center of each, roll up

tantemente para que espese un poco. Cuando esto ocurra retirar del fuego.

Bañar ligeramente cada tortilla en esta salsa. Poner un poco de huevo cocido picado en cada una de ellas, enrollarlas flojamente y colocarlas una al lado de la otra en el plato; rociar con la salsa sobrante.

Calentar la salsa de jitomate y vertirla sobre los papa-dzules, rociar con el aceite y servir de inmediato. Este platillo se sirve tibio. Rinde seis porciones.

Quesadillas

Las quesadillas pueden hacerse con tortillas ya hechas o elaborándolas en el momento. Si el primero es el caso, calentar las tortillas en un comal, de un solo lado. Poner relleno en una de las mitades de la tortilla, del lado que se calentó y doblar al medio. Freír de ambos lados y servir calientes. Si el caso es el segundo se rellenan las tortillas crudas y luego se fríen. Se sirven rociadas con crema, trocitos de aguacate o guacamole, un poco de lechuga y cebolla picadas, queso fresco o añejo desmoronado y salsa verde o roja al gusto.

loosely and arrange side by side on a serving dish. Nap with remaining sauce.

Heat the tomato sauce and pour over the papa-dzules, sprinkle with the green squash seed oil and serve immediately. This dish should be eaten warm only. Serves six.

Quesadillas

Quesadillas can be made either with ready prepared tortillas or ones made on the spot. In the first case, heat the tortillas on the griddle on one side only. Place the filling on half of the heated side and fold the other half over. Fry on both sides and serve hot. In the second case the uncooked tortillas are filled and then fried. Accompany quesadillas with *crème fraîche*, slices of avocado or guacamole, shredded lettuce and finely chopped onion, crumbled *queso fresco* or *queso añejo* (Ricotta or dry Feta) and red or green sauce to taste.

De cuitlacoche

Ingredientes

12 tortillas de maíz
¼ kg de cuitlacoche
1 cebolla chica
1 diente de ajo
1 rama de epazote
2 cucharadas de aceite
sal al gusto

Preparación

Picar la cebolla y el ajo finamente; en un sartén calentar el aceite y acitronar la cebolla y el ajo. Agregar el cuitlacoche y la rama de epazote, poner sal y dejar cocer alrededor de 15 minutos. Retirar del fuego. Rinde cuatro porciones.

Cuitlacoche

Ingredients

12 corn tortillas
½ lb cuitlacoche
1 small onion
1 clove garlic
1 sprig epazote
2 tablespoons oil
salt to taste

Preparation

Chop onion and garlic finely. Heat oil in a skillet and fry gently until transparent, add the *cuitlacoche* and *epazote*. Season with salt and cook for about 15 minutes. Remove from heat.

De flor de calabaza

Ingredientes

12 tortillas
1 manojo de flor de calabaza
1 cebolla
2 hojas de epazote
2 cucharadas de aceite
sal al gusto

Preparación

Picar la cebolla finamente. En un sartén acitronar la cebolla con

Squash blossom

Ingredients

12 corn tortillas
1 bunch squash blossoms
1 onion
2 leaves epazote
2 tablespoons oil
salt to taste

Preparation

Chop the onion finely, fry gently in a little oil until transparent then

un poco de aceite y agregar la flor de calabaza y las dos hojas de epazote, poner sal y dejar cocer por alrededor de siete minutos. Retirar del fuego. Rinde cuatro porciones.

add squash blossoms and *epazote*. Salt to taste and cook about seven minutes. Remove from heat.

De hongos

Ingredientes

12 tortillas
2 tazas de hongos
6 dientes de ajos
½ cebolla
3 hojas de epazote
1 cucharada de aceite
sal al gusto

Mushrooms

Ingredients

12 corn tortillas
2 cups mushrooms
6 cloves garlic
½ onion
3 leaves epazote
1 tablespoon oil
salt to taste

Preparación
Picar finamente la cebolla y el ajo; acitronar la cebolla con la mitad del ajo. Agregar los hongos y las hojas de epazote. Poner sal al gusto. Tapar y dejar cocer en su propio jugo a fuego lento por dos o tres minutos; agregar el resto del ajo y dejar cocer dos minutos más. Retirar del fuego. Rinde cuatro porciones.

Preparation
Chop the onion and garlic finely, then fry onion and half the garlic until transparent. Add mushrooms, *epazote* and salt. Cover and simmer in the juices released for two or three minutes. Add remaining garlic and cook two minutes longer. Remove from heat.

De queso

Para prepararlas se utiliza como único ingrediente queso de hebra de Oaxaca, que tiene la ventaja de derretirse con rapidez.

Cheese

For these use Oaxaca cheese in Mexico; elsewhere, "stringing" cheese or Mozzarella are possible substitutes. These all have the advantage of melting quickly without toughening.

Sopes

Ingredientes

½ kg de masa para tortillas
2 chorizos o 2 tazas de hongos guisados
2 tazas de frijoles refritos
2 tazas de salsa verde (p. 65)
1 lechuga tierna picada
1 taza de queso añejo desmoronado
1 cebolla picada
manteca, la necesaria

Preparación

Tomar una bola de masa del tamaño de un huevo, tortearla y dejarla gorda, poner sobre el comal. Cuando se pueda levantar sin que la masa se pegue, voltear y pellizcar los bordes para que queden levantados. Guardar en una servilleta. Preparar los ingredientes que se le van a poner.

Freír los sopes en grasa caliente y untar frijoles, un poco de chorizo u hongos, queso, cebolla y lechuga rebanadas. Se sirven calientes. Rinde cuatro porciones.

Tacos

Es el antojito más tradicional y popular. Se pueden rellenar de casi cualquier carne o guisado. Algunas sugerencias para el relleno son:

Sopes

Ingredients

1 lb corn dough
2 chorizos or 2 cups cooked mushrooms
2 cups refried beans
2 cups green sauce (p. 65)
1 iceberg lettuce, chopped
1 cup crumbled dry Feta cheese
1 onion, finely chopped
lard, as needed

Preparation

Take a piece of dough the size of an egg and pat it into a circle about three inches in diameter (it will be quite thick). Place on griddle to cook. When it can be lifted without sticking, turn and pinch up the edges. As each one is done, wrap in a napkin to keep warm. Prepare the filling.

Fry the *sopes* in lard. Spread with beans then top with a little crumbled *chorizo* or mushrooms plus cheese, onion and lettuce. Serve hot. Four portions.

Tacos

The most traditional and most popular snack that can be filled with practically any meat or prepared dish. Some suggestions are:

Birria (p. 269)
Carnitas (p. 269)
Cochinita pibil (p. 200)
Pollo, cerdo o carne de res deshebrada
Chilacas a la crema (p. 129)

Todos ellos se acompañan con la salsa de su preferencia y se pueden servir acompañados de guacamole, frijoles refritos, cebolla y cilantro picados, así como limones partidos.

Birria (p. 269)
Carnitas (p. 269)
Cochinita pibil (p. 200)
Shredded chicken, pork or beef.
Chili strips in cream (p. 129)

Add a favorite sauce, together with guacamole, refried beans, chopped onion and coriander, with lime wedges on the side.

Tacos fritos

No son tan comunes y se rellenan de lo mismo que los que no se fríen. Se aseguran con un palillo, se fríen en grasa o aceite, dorando primero el lado que no tiene la abertura, para que resulte más fácil sacar el palillo sin que se rompa el taco. No deben quedar muy dorados o duros. Algunas sugerencias para el relleno son:

Birria (p. 269)
Carnitas (p. 269)
Cochinita pibil (p. 200)
Pollo, cerdo o carne de res deshebrada
Chilacas a la crema (p. 129)

Los tacos fritos se sirven calientes, con crema, cebolla y lechuga picada, aguacate y salsa encima.

Fried tacos

These are not as common, but are filled with the same ingredients as ordinary tacos. Secured with a toothpick, they are fried in lard or oil, first with the unopen side down (to make it easier to remove the pick afterward without breaking the taco). They should not be too browned or hard. Some suggestions for fillings are:

Birria (p. 269)
Carnitas (p. 269)
Cochinita pibil (p. 200)
Shredded chicken, pork or beef.
Chili strips in cream (p. 129)

Fried tacos are served hot, topped with crème fraîche, chopped lettuce and onion, avocado and chili sauce.

Chilaquiles rojos

Ingredientes

20 tortillas
200 gr de manteca
1 jitomate
6 chiles anchos
4 chiles de árbol
1 cebolla
2 dientes de ajo
queso fresco

Preparación

Cortar las tortillas duras en pedacitos, o cortar triángulos o tiritas de tortillas frescas y dejar endurecer. Freír en manteca y dejar escurrir. Preparar la salsa dorando los chiles, remojándolos y moliéndolos con el tomate asado y pelado, los dientes de ajo y media cebolla. Calentar una cucharada de manteca y freír la salsa, agregar las tortillas fritas y una taza de agua. Dejar hervir unos tres minutos y servir con cebolla rebanada, queso desmoronado y crema. Rinde cuatro porciones.

> **NOTA:** a la salsa se le puede agregar pollo deshebrado.

Chilaquiles verdes

Se preparan igual que los rojos. Sólo se cambian los chiles anchos y los de árbol por diez chiles serra-

Red chilaquiles

Ingredients

20 tortillas
7 oz lard
1 tomato
6 ancho *chilies*
4 árbol *chilies*
1 onion
2 cloves garlic
queso fresco or Ricotta

Preparation

If the tortillas are dry, cut them into small pieces; cut fresh tortillas into triangles or strips and leave to harden. Fry in lard and drain well. Make the sauce by toasting the chiles, soaking them and blending with the toasted, peeled tomato, garlic and onion. Heat a tablespoon of lard and fry the sauce; add the tortillas and one cup of water. Cook for about three minutes, Serve topped with onion rings, *crême fraîche* and crumbled cheese. Serves four.

> **N.B.** shredded chicken can be added to the sauce.

Green chilaquiles

These are prepared in the same way as for the red ones, substituting 10 *serrano* chilies for the *ancho*

nos y el jitomate por 30 tomates verdes (ver la receta para preparar salsa verde p. 65)

and *árbol* chilies, and 30 tomatillos for the tomato. (See recipe for green sauce p. 65).

Enchiladas de mole

Ingredientes

16 tortillas
½ litro de mole poblano
1 pechuga de pollo
¼ de crema
1 taza de queso fresco desmoronado
1 diente de ajo
1 cebolla
sal al gusto

Preparación

Hervir las pechugas con un pedazo de cebolla, ajo y sal. Recalentar el mole y mojar allí las tortillas. Rellenarlas con la pechuga deshebrada y enrollar en forma de taco; colocar cuatro en cada plato, verter sobre ella un poco más de mole, crema, queso y cebolla rebanada. Rinde cuatro porciones.

Enchiladas in mole

Ingredients

16 tortillas
2 cups mole poblano
1 chicken breast
1 cup crème fraîche
1 cup crumbled queso fresco or Ricotta
1 clove garlic
1 onion
salt to taste

Preparation

Poach the chicken breast with a piece of onion, garlic and salt. Heat the *mole* and dip the tortillas in to coat then fill with shredded chicken and roll up. Place three or four on each plate, pour over a little more *mole* and top with cream, cheese and onion rings. Serves four.

Enchiladas rojas

Se preparan igual que en el caso anterior; sólo se sustituye el mole poblano por salsa roja.

Red enchiladas

Prepared as above, substituting red sauce for the *mole*.

Enchiladas verdes

Green enchiladas

Se preparan igual que en los casos anteriores, sólo que se utiliza salsa verde.

Prepared as above, but with green sauce.

11

CHILES RELLENOS | STUFFED CHILIES

Chiles anchos rellenos

Ingredientes

12 chiles anchos
2 jitomates grandes
1 cebolla mediana
2 dientes de ajo
4 huevos
3 cucharadas de harina
8 cucharadas de aceite

El relleno

350 gr de carne de res molida
1 zanahoria
1 papa chica
¼ de cebolla
1 jitomate chico
12 aceitunas deshuesadas
50 gr de pasitas
150 gr de acitrón en trozo
2 cucharadas de aceite
sal y pimienta al gusto

Preparación

Remojar los chiles anchos en agua caliente por 30 minutos. Hacer un corte a lo largo y quitarles las semillas. Pelar la papa y la zanahoria, cocer y cortar en daditos. Picar las aceitunas y el acitrón. Asar, pelar y picar el jitomate chico. Sazonar la carne con sal y pimienta, freír junto con el cuarto de cebolla picada y agregar los ingredientes picados

Stuffed ancho chilies

Ingredients

12 ancho chilies
2 large tomatoes
1 medium onion
4 eggs, separated
2 cloves garlic
3 tablespoons all-purpose flour
8 tablespoons oil

Filling

12 oz ground beef
1 carrot
1 small potato
¼ onion
1 small tomato
12 pitted olives
2 oz raisins
6 oz acitrón
2 tablespoons oil
salt and pepper to taste

Preparation

Soak the chilies in hot water for 30 minutes. Slit open down one side and remove seeds. Peel the carrot and potato, boil and cut into small dice. Chop the olives and *acitrón*. Toast, peel, blend and strain the small tomato. Season the meat with salt and pepper, fry with the chopped ¼ onion and add the chopped ingredients and raisins.

y las pasitas. Rellenar los chiles con el picadillo. Batir las claras a punto de turrón y agregar las yemas batidas. Cubrir los chiles ligeramente con harina y pasar por el huevo. Freír en aceite muy caliente a fuego lento; ponerlos en un refractario cubierto con papel de cocina y guardarlos en el horno a temperatura muy baja.

Fill the chilies with the meat mixture. Beat the egg whites to stiff peaks and fold in the beaten yolks. Dredge the chilies lightly with flour and dip in the beaten egg to coat. Fry in very hot oil over low heat. As they are fried place in an ovenproof dish lined with paper toweling and keep warm in a very low oven.

La salsa

Moler los dos jitomates grandes, la cebolla y el ajo. Agregar dos tazas de agua y sal, dejar hervir hasta que espese un poco, sacar los chiles del horno, retirar el papel y verter sobre ellos la salsa caliente. Rinde seis porciones.

Sauce

Blend the two large tomatoes, medium onion and garlic. Add two cups of water and salt. Bring to the boil and cook until slightly thickened. Remove the chilies from the oven dish and pour the hot sauce over them. Serves six.

Chiles poblanos rellenos

Stuffed poblano chilies

Ingredientes

12 chiles poblanos
2 jitomates grandes
1 cebollas mediana
2 dientes de ajo
4 huevos
3 cucharadas de harina
8 cucharadas de aceite

El relleno

350 gr de carne de res molida
1 zanahoria

Ingredients

12 poblano chilies
2 large tomatoes
1 medium onion
2 cloves garlic
4 eggs, separated
3 tablespoons all-purpose flour
8 tablespoons oil

Filling

12 oz ground beef
1 carrot

1 papa
¼ de cebolla
1 jitomate chico
12 aceitunas deshuesadas
2 cucharadas de aceite
sal y pimienta al gusto

1 potato
¼ onion
1 small tomato
12 pitted olives
2 tablespoons oil
salt and pepper to taste

Preparación

Asar los chiles poblanos, dejarlos sudar en una bolsa de plástico, pelarlos, hacer un corte a lo largo y quitarles las semilla. Pelar la papa y la zanahoria, cocerlas y cortarlas en daditos. Picar las aceitunas. Asar, pelar y picar el jitomate chico. Sazonar la carne con sal y pimienta, freírla con el cuarto de cebolla picada y agregar las verduras picadas. Rellenar los chiles con el picadillo. Batir las claras a punto de turrón y agregar las yemas batidas. Cubrir los chiles con harina y pasarlos por el huevo, freírlos en aceite caliente, ponerlos en un refractario cubierto con papel de cocina y guardarlo en el horno a temperatura muy baja.

La salsa

Moler los dos jitomates grandes, la cebolla y el ajo, agregar dos tazas de agua y sal, dejar hervir hasta que espese un poco, sacar los chiles del horno, quitar el papel y verter sobre ellos la salsa caliente. Rinde seis porciones.

Preparation

Toast the chilies and put in a plastic bag to sweat then peel, cut a slit down one side and remove the seeds. Peel the carrot and potato, boil and cut into small dice. Chop the olives. Toast, peel, blend and strain the small tomato. Season the meat with salt and pepper, fry with the chopped ¼ onion and add the diced vegetables. Fill the chilies with the meat mixture. Beat the egg whites to stiff peaks and fold in the beaten yolks. Dredge the chilies lightly with flour and dip in the beaten egg to coat. Fry in hot oil then keep warm in an ovenproof dish lined with paper toweling in a very low oven.

Sauce

Blend the large tomatoes, onion and garlic. Add two cups of water and salt. Bring to the boil and cook until slightly thickened. Remove chilies from the oven dish and pour the hot sauce over them. Serves six.

Relleno de flor de calabaza

Ingredientes

1 manojo de flor de calabaza
1 jitomate chico
½ cebolla
1 diente de ajo
200 gr de queso fresco
1 hoja de epazote
sal al gusto

Preparación

Picar la flor de calabaza junto con la media cebolla, el ajo y el jitomate. Freír todo y agregar la hoja de epazote. Cuando suelte el hervor poner sal y tapar hasta que esté cocido. Rellenar los chiles siguiendo el mismo procedimiento que en los anteriores. Servir con tiras de queso.

Relleno de queso

El procediemiento es exactamente el mismo que en la receta de chiles poblanos rellenos, pero se cambia el relleno por una rebanada de queso fresco, se capean y se bañan con la misma salsa.

Squash blossom filling

Ingredients

1 bunch squash blossom
1 small tomato
½ onion
1 clove garlic
7 oz queso fresco or Ricotta
1 leaf epazote
salt to taste

Preparation

Chop the squash blossom with the half onion, garlic and tomato. Fry all together, adding the *epazote*. When the mixture boils, add salt, cover and cook until done. Fill the chilies as before. Garnish with strips of cheese.

Cheese filling

The method is the same as for stuffed *poblano* chilies, but the meat filling is replaced by a thick slice of *queso fresco* or Ricotta.

Chiles en nogada

Stuffed chilies in walnut sauce

Ingredientes

12 chiles poblanos
4 huevos
3 cucharadas de harina
½ taza de manteca

El relleno

450 gr de lomo de puerco picado
2 jitomates chicos
1 cebolla
2 dientes de ajo
2 cucharadas de manteca
½ cucharada de canela en polvo
60 gr de pasitas
300 gr de acitrón en trozo
60 gr de almendras
1 manzana chica
2 peras duras
2 duraznos duros
⅓ de taza de azúcar

La salsa

1/2 litro de leche
100 gr de queso de cabra
15 nueces de Castilla
60 gr de almendras
2 granadas rojas
½ cucharada de azúcar
2 ramas de perejil

Ingredients

12 poblano chilies
4 eggs
3 tablespoons all-purpose flour
½ cup lard

Filling

1 lb finely chopped pork tenderloin
2 small tomatoes
1 onion
2 cloves garlic
2 tablespoons lard
½ teaspoon ground cinnamon
2 oz raisins
11 oz acitrón
2 oz almonds
1 small apple
2 hard pears
2 hard peaches
⅓ cup sugar

Sauce

2 cups milk
4 oz goat cheese
15 walnuts
2 oz almonds
2 ripe pomegranates
½ tablespoon sugar
2 sprigs parsley

Preparación

El relleno

Asar los jitomates, molerlos y colarlos. Picar la cebolla y el ajo. Pelar y picar las almendras y las frutas. Sazonar la carne con sal y pimienta. Freír la cebolla y el ajo en manteca caliente y agregar la carne. Cuando esté bien frita, añadir el puré de jitomate, las pasas, el polvo de canela, el acitrón, las almendras, las frutas y el azúcar. Dejar cocer hasta que se reseque el jugo. Retirar del fuego.

La salsa

Remojar las nueces y las almendras en la leche. Pelarlas y molerlas con el queso, una pizca de sal y azúcar al gusto. Agregar leche hasta que quede una salsa espesa. Desgranar las granadas y colocarlas en un recipiente.

Los chiles

Hervir los chiles en un litro de agua durante 20 minutos. Cuando aún estén calientes quitarles la piel, hacerles un corte bajo el chorro de agua fría y quitarles las semillas. Dejar escurrir y rellenar con el picadillo. Extender el harina y revolcar en ella los chiles. Batir las claras a punto de turrón y agregar las yemas batidas. Capear los chiles y freírlos en manteca caliente.

Preparation

Filling

Toast the tomatoes, blend and strain. Chop the onion and garlic finely. Peel and chop the almonds and fruit. Fry the finely chopped onion and garlic in lard, season the meat with salt and pepper and add. When, the meat is well cooked, add the tomato puree, raisins, cinnamon, citron, almonds, fruit and sugar. Cook until the mixture is dry. Remove from heat.

Sauce

Soak the walnuts and almonds in the milk, skin and blend with the cheese, a pinch of salt and the sugar. Remove seeds from the pomegranates and put in a bowl.

Chilies

Boil the chilies in 4 cups of water for 20 minutes. Peel while they are still hot. Cut open along one side and remove seeds under cold running water. Drain, then fill with meat mixture. Roll the chilies in flour. Beat the egg whites to stiff peaks and fold in the beaten yolks. Coat the chilies with the egg and fry in hot lard.

Manera de servir

Servir dos chiles calientes por persona, bañados con la salsa fría y cubiertos con los granos de granada. Rinde seis porciones.

To serve

Serve two hot chilies per person napped with the cold sauce and garnished with pomegranate seeds. Serves six.

12

Frijoles | Beans

Frijoles charros

Ingredientes

¼ kg de frijoles bayos
125 gr de carne de cerdo
¼ de cebolla
2 jitomates
2 dientes de ajo
3 tiras gruesas de tocino
3 chiles serranos
2 ramas de cilantro
2 cucharadas de manteca
sal al gusto

Preparación

Hervir los frijoles a fuego lento con la cebolla cortada en rebanadas finas, el ajo rebanado y la carne de cerdo cortada en cuadritos hasta que estén suaves. Cortar el tocino en trocitos pequeños y freír en la manteca para que se doren un poco. Mezclar los jitomates picados con los chiles serranos finamente picados, el cilantro y el tocino. Cocer la preparación a fuego fuerte durante diez minutos. Añadir los frijoles y dejar hervir a fuego lento con la olla destapada unos 15 minutos más. Rinde cuatro porciones.

Charro style beans

Ingredients

½ lb pinto beans
4 oz boneless pork
¼ onion
2 tomatoes
2 cloves garlic
3 thick slices bacon
3 serrano chilies
2 sprigs coriander
2 tablespoons lard
salt to taste

Preparation

Simmer the beans with the finely sliced onion, sliced garlic and cubed pork until tender. Dice the bacon finely and fry in lard until slightly browned. Mix the chopped tomatoes with the finely chopped *serrano* chilies, the coriander and the bacon. Cook the mixture over high heat for ten minutes. Add the beans and simmer uncovered for about 15 minutes more. Serves four.

Frijoles de la olla

Ingredientes

½ kg de frijoles
10 a 14 tazas de agua caliente
2 cucharadas de manteca
¼ de cebolla
2 ramitas de epazote
sal al gusto

Preparación

Lavar y limpiar los frijoles, que pueden ser bayos, pintos o negros, colocarlos en una olla con el agua caliente, agregar la cebolla en rebanadas gruesas y la manteca. Cuando empiece a hervir bajar el fuego y dejar cocer durante tres horas o hasta que estén bien cocidos. Agregar la sal y el epazote (éste sólo si se hace con frijoles negros) y continuar cociendo a fuego lento por 30 minutos más. Retirar y dejar reposar. Rinde diez porciones.

Pot cooked beans

Ingredients

1 lb beans
10 to 14 cups hot water
2 tablespoons lard
¼ onion
2 sprigs epazote
salt to taste

Preparation

Pick over and wash beans (California pink, pinto or black). Add to a saucepan of hot water with thick slices of onion and lard. When the water boils, lower the heat and simmer for three hours or until the beans are tender. Add salt and *epazote* (the herb is used with black beans only) and simmer for 30 minutes longer. Remove from heat and allow to stand. Serves ten.

Frijoles puercos

Ingredientes

½ kg de frijoles pintos
½ kg de lomo de puerco
2 jitomates
2 chiles habaneros
1 cebolla

Beans with pork

Ingredients

1 lb pinto beans
1 lb pork tenderloin
2 tomatoes
2 habanero chilies
1 onion

1 hoja de cebolla 1 manojo de rábanos 1 manojo de cilantro 1 hoja de epazote 2 limones sal al gusto	1 onion leaf 1 bunch radishes 1 bunch coriander 1 leaf epazote 2 limes salt to taste

Preparación

Cocer los frijoles según la receta anterior. Cuando estén cocidos, agregar la carne cortada en trozos; tapar y dejar hervir. Cuando la carne esté tierna separarla de los frijoles y guardarla en otra olla. Dejar que los frijoles sigan hirviendo hasta que estén muy suaves.

Asar los jitomates, los chiles, la media cebolla y su hoja, moler un chile y los jitomates con sal al gusto, guardando el otro chile para el aderezo. Picar muy finamente el resto de la cebolla, el cilantro y los rábanos para preparar un salpicón. Partir en rodajas el chile restante y los limones.

Una vez listos los frijoles, agregar el puré de jitomate y poner sal al gusto. Colocar el salpicón en una fuente como sigue: el picadillo de cilantro, la cebolla y los rábanos en el centro y, alrededor, las rodajas de limón y chile habanero. La carne se sirve aparte. Rinde seis porciones.

Preparation

Cook the beans according to the previous recipe. When done, add the pork cut into pieces, cover and boil. When the meat is tender, remove from beans and reserve in another pan. Cook the beans until very soft.

Toast the tomatoes, chilies, half an onion and the onion leaf. Blend one chili with the tomatoes and salt, reserving the other chili for garnish. Chop the rest of the onion, the coriander and radishes very finely to make a relish. Cut the chili into rings and slice the limes across.

When the beans are cooked, add the tomato puree and adjust seasoning. Serve the relish in the center of a dish surrounded by rings of chili and lime slices.

172

Frijoles refritos

Ingredientes

3 tazas de frijol cocido sin caldo
1½ taza de caldo de frijol
1 cebolla
2 cucharadas de manteca
totopos, los necesarios
queso añejo, el necesario
sal al gusto

Preparación

Machacar los frijoles hasta formar un puré. Picar la cebolla finamente. Calentar la manteca en un sartén y freír la cebolla. Agregar los frijoles machacados con el caldo y sal revolviendo constantemente. Cuando hayan espesado tanto que se despeguen del sartén, colocarlos en un platón y adornarlos con totopos y queso desmoronado. Rinde seis porciones.

Refried beans

Ingredients

3 cups cooked beans, drained
1½ cups bean liquid
1 onion
2 tablespoons lard
fried tortilla triangles
queso añejo or Feta as wished
salt to taste

Preparation

Mash the beans into a puree. Chop onion finely and fry in lard. Add the beans, liquid and salt, stirring constantly. When the puree has thickened enough to leave the bottom of the skillet, empty out onto a platter and garnish with tortilla triangles and crumbled cheese. Serves six.

Frijoles colados y refritos estilo yucateco

Ingredientes

4 tazas de frijol negro cocido
2 cucharadas de manteca
¼ de cebolla mediana
1 chile habanero
sal al gusto

Sieved and fried beans Yucatecan style

Ingredients

4 cups cooked black beans
2 tablespoons lard
½ medium onion
1 habanero chili
salt to taste

Preparación

Moler los frijoles con el caldo. Derretir la manteca y freír en ella la cebolla cortada en rebanadas grandes. Agregar los frijoles colados, el chile y la sal. Seguir friendo a fuego alto hasta que formen una pasta suave que resbale de la cuchara. Rinde alrededor de tres tazas.

Preparation

Mash the beans with their cooking liquid. Heat the lard in a skillet and fry the onion cut into thick slices. Add the sieved beans, the whole chili and salt and cook over high heat until they form a smooth paste that slides off the spoon. Makes about three cups.

Frijoles borrachos

Ingredientes

¼ kg de frijoles
½ kg de lomo de cerdo
2 jitomates
3 chiles serranos frescos
3 tiras gruesas de tocino
¼ de cebolla
2 dientes de ajo
2 cucharadas de manteca
2 ramas de cilantro
1 botella o lata de cerveza
sal al gusto

Drunken beans

Ingredients

½ lb beans
1 lb pork tenderloin
2 tomatoes
3 serrano chilies
3 thick slices bacon
¼ onion
2 cloves garlic
2 tablespoons lard
2 sprigs coriander
1 bottle or can of beer
salt to taste

Preparación

Hervir los frijoles a fuego lento con la cebolla cortada en rebanadas, el ajo picado, la sal y la carne de cerdo cortada en trozos durante dos horas y media o hasta que estén suaves. Mezclar los jitomates picados con los chiles serranos finamente picados, el cilantro y el tocino previamente cortado en trocitos y dorado en la manteca. Cocer la pre-

Preparation

Simmer the beans with the sliced onion, finely chopped garlic, salt and cubed pork for two hours and a half or until they are soft. Mix the chopped tomatoes with the finely chopped chilies and coriander, and the bacon cut into small pieces and fried crisp in the lard. Cook the mixture over high heat for ten minutes. Add the beans and

paración a fuego fuerte durante diez minutos.

Añadir los frijoles junto con la cerveza y dejar hervir a fuego lento con la olla destapada unos 15 minutos más. Rinde cuatro porciones.

beer and simmer uncovered for about 15 minutes longer. Serves four.

Chul yucateco de frijol verde

Ingredientes

½ kg de ejotes
2 elotes tiernos
200 gr de pepita molida
1 rama de epazote
2 cucharadas de aceite
sal al gusto

Preparación

Cocer y desgranar los elotes, molerlos con un poco de agua y pasarlos a través de un colador de malla grande para que quede como una masa. Desenvainar los ejotes y hervirlos con sal y epazote.

Cuando el agua se haya consumido a la mitad, agregar la masa de los elotes y dos cucharadas de aceite. Mover con frecuencia para que no se agrume. Dejarlo espesar y servir en platos hondos espolvoreados con pepitas molidas. Rinde cuatro porciones.

Fresh pod beans, Yucatecan style

Ingredients

1 lb fresh pod beans
2 young ears of corn
7 oz ground squash seeds
1 sprig epazote
2 tablespoons oil
salt to taste

Preparation

Boil the corn and remove the kernels. Blend with a little water and strain through a coarse sieve to separate the skins. The puree should be thick, almost a dough. Shell the beans and boil with salt and *epazote*.

When the water is reduced by half, add the corn and oil. Stir frequently to prevent lumps. Cook until thickened. Serve in bowls, sprinkled with the ground squash seeds.

13

MOLES | MOLES

Mole verde en pipián

Ingredientes

2 pollos
1 taza de pepitas de calabaza
100 gr de almendras
100 gr de nuez
12 chiles poblanos
2 chiles jalapeños frescos
1 kg de tomates
2 cebollas
3 dientes de ajo
3 cucharadas de manteca
consomé en polvo al gusto

Preparación

Cortar los pollos en 8 piezas cada uno y hervir con una cebolla y un poco de sal. Por separado moler las pepitas peladas, las nueces sin piel y las almendras. Asar los chiles, pelarlos, desvenarlos y quitarles las semillas. Asar los tomates y moler todo con la otra cebolla, el ajo y el consomé en polvo. Freír. En dos cucharadas de manteca freír la masa de semillas y el puré de tomates y chile. Agregar un litro de caldo poco a poco. Añadir las piezas de pollo y dejar hervir cinco minutos. Rinde dieciséis porciones.

Green squash seed mole

Ingredients

2 chickens
1 cup squash seeds
4 oz almonds
4 oz pecans
12 poblano *chilies*
2 jalapeño *chilies*
2 lb tomatillos
2 onions
3 cloves garlic
3 tablespoons lard
chicken stock powder

Preparation

Cut each chicken into 8 serving pieces and poach with one of the onions and a little salt. Grind the hulled squash seeds and the blanched almonds and pecans. Toast the chilies, peel and remove the seeds and veins. Toast the tomatillos and blend with the remaining onion, garlic, and stock powder. Fry. Heat two tablespoons of lard and fry the nut paste and the tomato-chili puree together. Gradually add four cups of broth from the chicken. Add the chicken and cook for five minutes. Serves sixteen.

Mole negro

Ingredientes

1 guajolote de 3 kg
1 kg de espinazo de puerco
5 jitomates
1 cebolla
18 chiles chilhuacles negros
9 chiles mulatos
2 tabletas de chocolate
3 cucharadas de cacahuates
3 cucharadas de semillas de
ajonjolí
3 cucharadas de nuez encar-
celada
3 cucharadas de almendras
6 ciruelas pasas deshuesadas
1 pedazo de pan duro
1 tortilla dura
6 clavos
4 pimientas negras
1 raja de canela
1 cucharadita de orégano
1 hoja de aguacate
consomé en polvo al gusto

Black mole

Ingredients

1 turkey weighing 6 lbs.
2 lb meaty pork backbone
5 tomatoes
1 onion
18 black chilhuacle chilies
9 mulato chilies
2 tablets Mexican drinking
chocolate
3 tablespoons peanuts
3 tablespoons sesame seeds
3 tablespoons pecans
3 tablespoons almonds
6 pitted prunes
1 piece stale French bread or
hard roll
1 dry tortilla
6 cloves
4 black peppercorns
1 stick cinnamon
1 teaspoon oregano
1 avocado leaf
chicken stock powder
salt to taste

Preparación

Cortar el guajolote en piezas y hervir con una cebolla y una pizca de
sal. Cortar el espinazo y hervir aparte en poca agua y un poco de sal.
Tostar los chiles en un comal, desvenar y guardar las semillas aparte.
Remojar las semillas aparte. Remo-

Preparation

Cut turkey into serving pieces and
boil with the onion and a little salt.
Cut the pork backbone into pieces and boil separately in a small
amount of lightly salted water. Toast
the chilies on a griddle, devein, and
reserve the seeds. Soak the chilies

jar los chiles en agua caliente, molerlos y freírlos en poco aceite. Tostar la tortilla en el comal y colocar sobre ella las semillas de chile chilhuacle. La tortilla debe voltearse de un lado a otro, por lo que hay que poner y quitar las semillas. Ambos ingredientes están listos cuando adquieren una coloración negra. Tostar las semillas de ajonjolí y la hoja de aguacate. Asar el jitomate. Freír las nueces, los cacahuates, las almendras, el pan y las especias, después molerlos junto con las ciruelas pasas, la hoja de aguacate y el ajonjolí. Freír todo junto con el jitomate asado. Agregar a esta preparación los chiles molidos, un litro de caldo, el chocolate, la raja de canela y el orégano. Añadir consomé en polvo y finalmente el guajolote y el espinazo; dejar hervir hasta que espese. Rinde veinte porciones.

in hot water then blend and fry in a little oil. Toast the tortilla on the griddle and place the *chilhuacle* seeds on top. The tortilla must be turned over several times, which means removing and replacing the seeds. Both ingredients are ready when they are black. Toast the sesame seeds and the avocado leaf. Toast the tomatoes.
Fry the pecans, peanuts, almonds, bread and spices then blend with the prunes, avocado leaf and sesame seeds. Fry with the tomatoes. Add the chili mixture, 4 cups of broth from the turkey, the chocolate, cinnamon and oregano. Season to taste with stock powder and add turkey and backbone. Cook until thickened. Serves twenty.

Mole coloradito

Ingredientes

1 kg de lomo de cerdo
12 chiles anchos
5 jitomates
1 cebolla
6 chiles pasillas
6 dientes de ajo
consomé en polvo al gusto

Reddish mole

Ingredients

2 lb pork tenderloin
12 ancho chilies
5 tomatoes
1 onion
6 pasilla chilies
6 cloves garlic
chicken stock powder

Preparación
Cortar la carne en trozos y hervir
en poca agua con la cebolla. Tostar
ligeramente los chiles, desvenarlos
y remojarlos en agua caliente. Molerlos. Asar, moler y colar los jitomates y los ajos. Freír la salsa de
chiles en una cazuela agregando el
puré y los trozos de carne. Añadir
una taza del caldo de la carne, consomé de pollo y dejar hervir hasta
que espese. Rinde diez porciones.

Preparation
Cut the meat into serving pieces
and cook in scant water with the
onion. Toast the chiles lightly, devein
and soak in hot water then blend.
Toast, peel, blend and strain the
tomatoes and garlic. Fry the chili
sauce, adding the tomato puree
and the meat. Add one cup cooking water from the pork, season to
taste with stock powder and cook
until thickened. Serves ten.

Mole amarillo

Ingredientes

1 kg de espinazo de puerco
15 chilacas
6 chiles manzanos
15 tomates
1 cebolla
1 tableta de achiote
1 pizca de azafrán
5 cucharadas de harina
4 cucharadas de aceite
consomé en polvo al gusto

Yellow mole

Ingredients

2 lb meaty pork backbone
15 chilaca chilies
6 manzano chilies
15 tomatillos
1 onion
*1 tablet achiote seasoning
paste*
1 pinch saffron
*3 tablespoons all-purpose
flour*
4 tablespoons oil
chicken stock powder

Preparación
Partir el espinazo en trozos y hervir
con una cebolla y un pizca de sal en
poca agua. Asar los chiles manzanos y dejar sudar dentro de una
bolsa de plástico. Pelarlos, desvenarlos y remojarlos en agua con sal
y unas gotas de limón por 30 mi-

Preparation
Cut the backbone into pieces and
boil in a small amount of water with
the onion and a little salt. Toast the
manzano chilies and place in a
plastic bag to sweat. Peel, devein
and soak for 30 minutes in water
with salt and a few drops of lime

nutos. Hervir los tomates y molerlos con las chilacas, los chiles, el ajo
y consomé en polvo. Freír los trozos
de espinazo con el aceite, junto con
el achiote partido en cuatro partes.
Agregar la salsa y el azafrán. Freír
el harina en un sartén, agregarla al
mole y dejar hervir hasta que espese. Rinde diez porciones.

juice added. Boil the tomatillos and
blend with the *chilaca* chilies, garlic
and stock powder to taste.
Fry the pieces of backbone with
the tablet of *achiote* seasoning bro-
ken into four. Add the sauce and
the saffron. Fry the flour, add the
mole and cook until it thickens.
Serves ten.

Pipián rojo

Ingredientes

1 pollo
6 chiles anchos
1 cucharada de semillas de
chile
¾ de taza de semillas de
ajonjolí
1 cebolla
6 dientes de ajo
1 rama de perejil
1 hoja de laurel
1 pizca de tomillo
1 raja de canela
5 granos de pimienta
3 cucharadas de manteca
1 hoja de aguacate
consomé en polvo al gusto

Preparación
Colocar el pollo, las menudencias,
la cebolla, dos dientes de ajo, el perejil, la hoja de laurel y una pizca de
tomillo en una olla, hervir con poca

Red pipian

Ingredients

1 chicken
6 ancho *chilies*
1 tablespoon chili seeds
¾ cup sesame seeds
1 onion
6 cloves garlic
1 sprig parsley
1 bay leaf
1 pinch dried thyme
1 stick cinnamon
5 peppercorns
3 tablespoons lard
1 avocado leaf
chicken stock powder

Preparation
Put the chicken, giblets, onion, 2
cloves of garlic, parsley, bay leaf
and thyme in a pan and poach in
water just to cover. Allow to cool

agua a fuego lento. Dejar que el pollo se enfríe en el caldo y luego cortarlo en piezas. Reservar el caldo. Asar ligeramente los chiles, desvenarlos y apartar las semillas. Cubrir los chiles con agua caliente y remojar por 20 minutos. Tostar las semillas de los chiles y molerlas en molcajete con la raja de canela y los granos de pimienta, una vez hechos polvo agregar tres dientes de ajo molidos para formar una pasta.

Tostar las semillas de ajonjolí hasta que estén de color dorado. Cuando se enfríen, molerlas e incorporarlas a la pasta. Derretir la manteca y freír a fuego lento por tres minutos la pasta de semillas y especies molidas, revolviendo constantemente. Licuar los chiles con media taza de caldo de pollo y un diente de ajo. Agregar el chile a la mezcla frita y dejar cocer cinco minutos sin dejar de revolver.

Añadir tres tazas de caldo de pollo y dejar que la salsa hierva alrededor de 20 minutos o hasta que espese. Agregar el pollo cocido y sal con consomé en polvo. Dejar que se caliente. Tostar un poco la hoja de aguacate, molerla y añadirla a la salsa. Está listo cuando cubre una cuchara. Rinde ocho porciones.

in the cooking liquid then cut into serving pieces. Reserve the broth. Toast the chilies lightly and devein, reserving the seeds. Soak in hot water for 20 minutes. Toast the chili seeds and grind them in a mortar or spice grinder with the cinnamon and, peppercorns. When reduced to a fine powder, mix to a paste with three cloves of mashed garlic.

Toast the sesame seeds in an skillet until golden and when cool, grind and add to the paste. Heat the lard and fry the seed and spice paste gently for three minutes, stirring continuously. Blend the chilies with half a cup of the chicken broth and one clove of garlic then add to the fried mixture. Cook for five minutes, stirring constantly.

Add three cups of the chicken broth and cook the sauce for about 20 minutes or until it is thick. Add the chicken pieces, season to taste with salt and stock powder and heat through. Toast the avocado leaf lightly, grind to a powder and stir in. The dish is ready when the sauce coats the back of a spoon. Serves eight.

14

TAMALES | TAMALES

Tamales de cazuela

Ingredientes

½ kg de lomo de cerdo
350 gr de manteca de cerdo
¾ kg de harina para tamales
1 litro de mole poblano
1 cebolla
2 dientes de ajo
1½ cucharaditas de polvo de hornear
caldo, el necesario
sal al gusto

Preparación

Hervir el lomo con la cebolla, el ajo y sal. Cuando esté cocido cortar en tiritas y mezclar con el mole. En un recipiente hondo, cernir el harina y agregar batiendo el caldo necesario para formar un atole espeso. Calentar la manteca en una olla y añadir el atole revolviendo con una cuchara de madera. Cuando espese, retirar del fuego y batir hasta formar una masa blanca. Agregar el polvo de hornear y sal. Engrasar un molde rectangular para horno y forrar el fondo y las paredes con ⅔ de la masa. Verter el relleno de mole con carne en el centro y cubrirlo con un capa hecha con la masa restante. Hornear a temperatura media, dejar que dore y servir. Rinde doce porciones.

Tamale pie

Ingredients

1 lb pork tenderloin
12 oz lard
1½ lb tamale meal
4 cups mole poblano
1 onion
2 cloves garlic
1½ teaspoons baking powder
pork broth
salt to taste

Preparation

Boil the pork with the onion, garlic and salt. When tender, cut into fingers and mix with the *mole*. Sift the tamale meal into a bowl and add enough broth to make a stiff batter. Heat the lard in a casserole and add the corn paste, stirring with a wooden spoon. When the mixture thickens remove from heat and beat until spongy. Add the baking powder and salt. Oil a rectangular ovenproof glass dish and line the bottom and sides with ⅔ of the tamale dough. Fill with the sauced pork and cover with the remaining dough. Bake in a medium oven until the top is golden. Serves twelve.

Tamales de dulce

Ingredientes

2 tazas de masa de tortillas
⅓ de taza de manteca
½ cucharadita de sal
1 ½ cucharaditas de polvo de hornear
24 hojas de maíz
½ taza de azúcar
½ taza de pasitas
½ taza de jarabe de fresa o piña

Preparación

Remojar las hojas de maíz en agua caliente hasta que estén blandas. Batir la manteca hasta que quede ligera y esponjosa. Mezclar la masa con la sal, el azúcar y el polvo de hornear y agregar la manteca poco a poco, batiendo constantemente. Disolver el jarabe en una taza de agua y agregar gradualmente a la masa hasta que quede esponjosa. Añadir las pasitas y mezclar bien.

Escurrir las hojas de maíz para eliminar el exceso de agua. Colocar dos cucharadas de la masa en el centro de la hoja, envolver y doblar los extremos. En una vaporera colocar los tamales con los bordes de las hojas hacia abajo y cocer por una hora o hasta que la masa se separe de la hoja. Servir calientes. Rinde ocho porciones.

Sweet tamales

Ingredients

2 cups corn dough
⅓ cup lard
¼ teaspoon salt
1 ½ teaspoons baking powder
24 corn husks
½ cup sugar
½ cup raisins
½ cup strawberry or pineapple flavored syrup

Preparation

Soak the husks in hot water to soften. Beat the lard until fluffy. Knead the dough with the salt, sugar and baking powder and gradually beat in the lard. Mix the syrup with one cup of water and gradually add to the dough, beating to keep it light. Mix in the raisins.

Drain the corn husks thoroughly. Place two tablespoons of dough down the center, wrap the sides over it and fold the ends. Place the tamales in a steamer with the folds down and cook for one hour or until the dough comes away from the husk. Eat hot. Serves eight.

Tamales oaxaqueños

Ingredientes

2 kg de masa de maíz
1 pavo de 2 kg
½ kg de espinazo de puerco
4 litros de mole poblano
700 gr de manteca
2 cebollas
4 cáscaras de tomate
1½ cucharadas de tequesquite
20 hojas de plátano
sal al gusto

Preparación

Cortar el pavo en piezas y hervir las carnes por separado en agua con sal y una rebanada gruesa de cebolla. Hervir el tequesquite en una taza de agua junto con las cáscaras de tomate. Cuando esté cocido, retirar del fuego y dejar asentar. Quitar la nervadura mayor de las hojas de plátano y ponerlas con agua al fuego. Apagar cuando suelten el primer hervor, dejar enfriar, sacar del agua, escurrir y cortar en cuadros de aproximadamente 20 cm, sacando 40 cuadros para los tamales y 10 más para tapar la vaporera.

Preparar la masa rociándola con el agua de tequesquite y de las hojas de plátano, así como con manteca quemada y fría, sazonar con sal y añadir el caldo de las carnes nece-

Oaxaca style tamales

Ingredients

4 lb corn dough
1 turkey weighing 4 lbs.
1 lb meaty pork backbone
16 cups mole poblano
1½ lb lard
2 onions
4 tomatillo husks
1½ tablespoons slaked lime
20 banana leaves
salt to taste

Preparation

Boil the turkey cut into pieces and the pork separately in salted water with a thick slice of onion. Boil the lime in one cup of water with the tomatillo husks. Remove from heat and leave to settle. Remove the thick vein from the banana leaves, put in a pan and cover with cold water to cook. When boiling, turn off the heat and allow to cool. Remove from water and cut the leaves into 8-inch squares, 40 for the tamales and 10 to line the steamer.

Sprinkle the dough with the lime water, cooking liquid from the leaves and the lard heated to smoking point then allowed to cool. Season with salt and add enough cooking liquid from the meat to be able to knead the dough well. It is ready if a

188

sario para amasarla bien. Está a punto cuando flota al echar una pizca en un vaso con agua. Cortar la carne del pavo y del espinazo en trozos muy pequeños y mezclarlos con el mole. Colocar en el centro de las hojas de plátano una porción de masa acompañada de carne de mole. Doblar bien y amarrar con tiras de hojas de plátano. Colocar los tamales unos encima de otros dentro de una vaporera dejando un espacio libre en medio. Cubrir con hojas de plátano y una tela. Cocer una hora o hasta que la masa se despegue de la hoja. Rinde cuarenta tamales.

pinch floats when placed in a glass of water. Cut turkey and pork meat very small and stir into the *mole*. Place a small portion of dough on each square of banana leaf, top with meat and sauce, wrap and tie with strips of banana leaf. Stack the tamales in a steamer, leaving a space in the center. Cover with squares of banana leaf and a cloth. Steam for one hour or until the dough separates from the leaf wrapping. Makes 40 tamales.

Tamales rojos de pollo

Ingredientes

1 kg de masa de maíz
3 pechugas de pollo
3 muslos de pollo
250 gr de manteca
4 chiles anchos
2 chiles guajillos
4 jitomates
2 dientes de ajo
1 cebolla
1 rama de tomillo fresco
1 hoja de laurel
1 grano de pimienta
50 hojas de maíz
consomé en polvo al gusto
sal

Red chicken tamales

Ingredients

2 lb corn dough
3 chicken breasts
3 chicken thighs
9 oz lard
4 ancho chilies
2 guajillo chilies
4 tomatoes
2 cloves garlic
1 onion
1 sprig fresh thyme
1 bay leaf
1 peppercorn
50 dried corn husks
chicken stock powder
salt

Preparación

Cocer el pollo en un litro de agua con un trozo de cebolla, un diente de ajo y media cucharadita de sal. Remojar las hojas de maíz en agua. Preparar la masa batiéndola con la manteca pasada por fuego y enfriada. Batir con caldo de pollo y sal al gusto hasta darle una consistencia homogénea. Está a punto cuando un poco de masa flota al echarla en un vaso con agua.

Tostar y desvenar los chiles, quitarles las semillas y molerlos con el jitomate asado y pelado, el resto de la cebolla, un diente de ajo, la pimienta, las hojitas de la rama de tomillo, la hoja de laurel y consomé en polvo. Freír en un poco de manteca y agregar el pollo deshebrado. Extender las hojas de maíz, ponerles dos cucharadas de masa, agregar relleno con salsa, envolver bien y colocar en una vaporera, apilar los tamales dejando el centro libre. Cubrir con diez hojas de maíz y tapar. Hervir una hora o hasta que la masa se despegue de la hoja. Rinde cuarenta tamales

Preparation

Cook the chicken in 4 cups of water with a piece of the onion, one clove of garlic and ½ teaspoon salt. Soak the corn husks in water: 40 are for the tamales and 10 for the steamer. Beat the dough with melted cooled lard and enough of the broth from the chicken, with salt to taste, to make it smooth.

Toast and devein the chiles. Separate the seeds and blend with the toasted, peeled tomatoes, the rest of the onion, the other clove of garlic, peppercorn, thyme leaves, bay leaf and stock powder to taste. Fry in a little lard and add the chicken, shredded.

Flatten the corn husks, spread with two tablespoons of dough, top with chicken and sauce and wrap. Stack the tamales in a steamer, leaving a space in the center. Cover with 10 corn husks and the lid. Steam for one hour or until the dough separates from the husks. Makes 40 tamales.

Tamales michoacanos

Michoacán style tamales

Ingredientes

1 kg de masa de tortillas
600 gr de charales frescos
250 gr de frijoles bayos cocidos y sin caldo

Ingredients

2 lbs tortilla dough
1 lb fresh whitebait
9 oz drained cooked pinto beans

190

6 chiles anchos
2 dientes de ajo
50 hojas de maíz
sal al gusto

6 ancho chilies
2 cloves garlic
50 hojas de maíz
salt to taste

Preparación

Limpiar y descabezar los pescados. Remojar las hojas de maíz y escurrirlas cuando estén blandas. Moler los frijoles. Tostar un poco los chiles, quitarles las semillas y las venas y remojar en agua tibia por 40 minutos.

Mezclar la masa con los frijoles, la salsa y sal; moler y batir hasta que esté esponjosa.

Extender 40 hojas de maíz y rellenarlas con masa y pescado. Envolver y colocar los tamales en una vaporera cuidando de que el centro quede libre. Cubrir con diez hojas de maíz y tapar, cocer por una hora o hasta que la masa se desprenda de las hojas. Rinde cuarenta tamales.

Preparación

Clean the fish and remove the heads. Soak the corn husks in water until soft. Blend the beans. Toast the chilies lightly, remove seeds and veins and soak in warm water for 40 minutes. Mix the tortilla dough with the beans, sauce and salt and beat until fluffy.

Flatten out 40 corn husks and fill with dough and fish. Wrap and place in a steamer, leaving a hole in the middle. Cover with ten corn husks and steam for one hour or until the dough separates from the husks. Makes 40 tamales.

Tamales veracruzanos

Veracruz style tamales

Ingredientes

½ kg de lomo de cerdo
750 gr de masa de tortillas
200 gr de manteca
¾ de taza de caldo
½ cebolla
2 dientes de ajo

Ingredients

1 lb pork tenderloin
¾ lb corn dough
7 oz lard
¾ cup pork broth
½ onion
2 cloves garlic

4 chiles anchos
1 jitomate mediano
5 hojas de hierba santa
20 hojas de plátano
consomé en polvo al gusto
sal al gusto

4 ancho *chilies*
1 medium tomato
5 leaves hoja santa
20 banana leaves
chicken stock powder
salt to taste

Preparación

Hervir la carne de cerdo con un cuarto de cebolla, un diente de ajo y sal. Cuando la carne esté cocida, dejarla enfriar dentro del caldo y luego cortarla en cuadritos. Guardar el caldo. Asar y pelar el jitomate. Tostar ligeramente los chiles, quitarles las venas y las semillas, cubrirlos con agua caliente y remojar por 15 minutos. Colarlos y licuarlos con el jitomate, un cuarto de cebolla, un diente de ajo, sal y un tercio del caldo. Derretir la manteca y freír la salsa por cinco minutos. Agregar el cerdo y cocer cinco minutos más. Sazonar con consomé en polvo.

Batir la manteca hasta que esté suave, agregar la masa y el caldo alternadamente y poco a poco. Batir cinco minutos. Pasar las hojas de plátano sobre las llamas para hacerlas un poco más flexibles. Extenderlas y cortarlas en 50 cuadros de 20 cm. Colocar en cuarenta de ellos masa, unos trozos de carne y un poco de salsa, así como un pedazo pequeño de hierba santa. Doblar la hoja de plátano envolviendo por

Preparation

Boil the pork with ¼ onion, one clove of garlic and salt to taste. When cooked, leave to cool in the broth then cut into small cubes. Reserve cooking liquid. Toast and peel the tomato. Toast the chilies lightly, remove the seeds and veins. Soak the chilies in hot water for 15 minutes then drain and blend with the tomato, ¼ onion, the other clove of garlic, salt to taste and ⅓ of the reserved pork broth. Heat the lard and fry the sauce for five minutes. Add the pork and cook for five minutes longer. Season with stock powder to taste

Beat the lard until fluffy. Gradually add the dough and broth alternately. Beat for five minutes. Pass the banana leaves over a flame to make them a little more supple, spread out and cut into 50 8-inch squares. Put a portion of dough on 40 of them, top with a few cubes of meat and a little sauce and add a small piece of *hoja santa*. Fold the banana leaf over to wrap the dough and filling completely. Stack the tamales in a steamer, making

192

completo la masa. Poner los tamales uno encima de otro dentro de una vaporera, cuidando de que quede un espacio libre en el centro. Cubrir con diez pedazos de hojas de plátano, una tela gruesa y la tapa de la vaporera. Cocer durante una hora o hasta que la masa se desprenda de la hoja. Rinde cuarenta tamales.

sure to leave a space in the center. Cover with 10 banana leaf squares, a thick cloth and the lid. Steam for one hour or until the dough comes away from the leaves. Makes 40 tamales.

Tamales verdes

Ingredientes

1 kg de masa de maíz
1 kg de lomo de cerdo
1 kg de manteca
½ kg de tomates
2 cebollas
3 dientes de ajo
3 chiles jalapeños
3 ramas de cilantro
50 hojas de maíz
consomé en polvo al gusto
sal al gusto

Preparación

Hervir la carne con una cebolla, dos dientes de ajo y sal; una vez cocida desmenuzarla.

Preparar la masa batiéndola con la manteca pasada por el fuego y enfriada. Batir con el caldo de la carne y sal hasta darle una consistencia homogénea. Está a punto cuando una pizca de la masa flota al echar-

Green tamales

Ingredients

1 lb corn dough
9 oz pork tenderloin
9 oz lard
1 lb tomatillos
2 onions
3 cloves garlic
3 jalapeño chilies
3 sprigs coriander
50 dry corn husks
chicken stock powder to taste
salt to taste

Preparation

Boil the meat with one onion, two cloves of garlic and salt to taste. When cooked, shred.

Prepare the dough by beating it with the melted, cooled lard. Beat in pork broth and salt to taste until smooth. It is ready if a pinch floats when placed in a glass of water. Soak the corn husks in water. Boil

la en un vaso de agua. Remojar las hojas de maíz en agua.

Hervir los tomates y molerlos con la cebolla, el ajo, el cilantro, los chiles y consomé en polvo. Freírla y agregarle la carne.

Extender 40 hojas, poner dos cucharadas de masa en cada una, agregar relleno con salsa; envolver bien y colocar en una vaporera, apilar los tamales dejando el centro libre. Cubrir con las diez hojas de maíz restantes y tapar. Dejar hervir una hora o hasta que la masa se despegue de la hoja. Rinde cuarenta tamales.

the tomatillos and blend with the remaining onion, one clove of garlic, coriander, chilies and stock powder to taste. Fry and add to meat.

Put two tablespoons of dough on 40 of the husks and add some meat and sauce. Wrap well and stack in a steamer, leaving a space in the center. Steam for one hour or until the dough comes away from the husks. Makes 40 tamales.

Uchepos dulces

Ingredientes

6 elotes
1 litro de leche
2 tazas de azúcar
1 vaina de vainilla
1 cucharadita de bicarbonato
30 hojas de maíz

Preparación

Remojar las hojas de maíz y escurrirlas. Desgranar los elotes en crudo, molerlos junto con la leche en la licuadora, colar para eliminar residuos y poner la mezcla en un recipiente. Añadir el azúcar, el bicarbonato y la vainilla. Cocer re-

Sweet uchepos

Ingredients

6 ears corn
6 cups milk
2 cups sugar
1 vanilla bean
1 teaspoon bicarbonate of soda
30 dried corn husks

Preparation

Soak the corn husks and drain. Separate the raw corn kernels from the cobs, blend well with the milk and strain. Cook the mixture with the sugar, bicarbonate and vanilla bean, stirring constantly with a wooden spoon until it thickens. Put

volviendo constantemente con una cuchara de madera hasta que espese. Poner tres cucharadas de pasta en cada hoja y envolver los tamales. Servir fríos, ya que no se cocinan al vapor ni se hornean. Rinde treinta tamalitos.

three tablespoons of paste on each husk and wrap. Serve cold, as these are not steamed or baked. Makes 30 small tamales.

15

Carnes | Meat

De cerdo

Adobo

Pork

Pork in spiced chili sauce

Ingredientes

1½ kg de lomo
6 chiles anchos
2 jitomates chicos
2 cebollas medianas
1 diente de ajo
½ cucharadita de orégano
½ cucharadita de comino molido
½ cucharadita de azúcar
1 clavo de olor
2 cucharadas de manteca
pimienta recién molida al gusto
sal al gusto

Ingredients

3 lb tenderloin
6 ancho chilies
2 small tomatoes
2 onions
1 clove garlic
½ teaspoon dried oregano
½ teaspoon ground cumin
½ teaspoon sugar
1 clove
2 tablespoons lard
freshly ground pepper
salt to taste

Preparación

Cortar la carne en dados grandes. Picar el ajo y una de las cebollas; la otra mecharla con el clavo de olor. Lavar y quitar las venas y semillas de los chiles, romperlos en trozos y dejarlos remojar en agua tibia por alrededor de una hora.

Cocinar la carne con la cebolla entera en suficiente agua como para cubrirla por una hora y media. Separar el caldo y guardarlo. La cebolla se tira.

Preparation

Cut the meat into large cubes. Chop the garlic and one onion; stud the other onion with the clove. Wash the chilies and remove seeds and veins, tear into pieces and soak in water for about an hour. Cook the meat for 1½ hours with a whole onion in water just to cover. Strain, and reserve the cooking liquid, discarding the onion. Blend the chilies, onion, garlic, oregano, cumin, salt and pepper to taste, sugar,

Licuar los chiles junto con la cebolla y el ajo picados, el orégano, el comino, sal y pimienta, el azúcar, los jitomates crudos partidos en cuatro y media taza de caldo hasta que quede una pasta suave. Calentar la manteca en un sartén, agregar el puré y cocinar cinco minutos revolviendo constantemente. Rebajar la salsa con una taza de caldo, agregarla a la carne y cocinar sin tapar a fuego muy lento por 30 minutos. La salsa debe quedar muy espesa. Rinde seis porciones.

quartered raw tomatoes and ½ cup of pork broth into a smooth puree. Heat the lard in a skillet and fry the puree for five minutes, stirring constantly. Thin the sauce with one cup of the pork broth, add the meat and simmer uncovered for 30 minutes. The sauce should be very thick. Serves six.

Carnitas de olla

Ingredientes

1 ½ kg de pierna
5 dientes de ajo
5 cominos
100 gr de chiles anchos
2 hojas de aguacate
20 hojas de maíz secas
sal al gusto

Preparación
Tostar los chiles, quitar las venas y las semillas y remojarlos por 30 minutos, molerlos con los cominos, los ajos y sal. Remojar las hojas de maíz hasta que queden blandas y flexibles. Cortar la carne en trozos y bañarla con la salsa.
Extender las hojas de maíz y poner un poco de carne con salsa sobre

Steamed pork

Ingredients

3 lb leg of pork
5 cloves garlic
5 cumin seeds
3 ½ oz ancho chilies
2 avocado leaves
20 dried corn husks
salt to taste

Preparation
Toast the chilies, remove seeds and veins and then soak for 30 minutes. Blend with the cumin, garlic and salt to taste. Soak the corn husks in hot water until supple. Cut the meat into smallish pieces and mix into the sauce. Flatten the corn husks and place a little sauced meat on each. Wrap over

cada una; envolver y amarrar. Colocarlos en una vaporera cuidando que no se mojen. Tapar muy bien y cocer a fuego alto de 30 a 45 minutos. Rinde diez porciones.

and tie. Stack the parcels in a steamer, making sure they do not come into contact with the water, cover tightly and cook over high heat for 30 to 45 minutes. Serves ten.

Cochinita pibil

Ingredientes

2 kg de lomo
5 cucharadas de jugo de naranja agria
1 cucharada de semillas de achiote
½ cucharadita de comino
½ cucharadita de orégano
12 granos de pimienta
3 granos de pimienta gorda
2 chiles pasilla
4 dientes de ajo
2 trozos grandes de hoja de plátano
sal al gusto

Para la salsa

½ taza de cebolla picada
2 chiles habaneros
⅔ taza de jugo de naranja agria
sal al gusto

Preparación

Picar la carne con un tenedor y frotar con sal y dos cucharadas de

Pit-cooked style pork

Ingredients

4 lb tenderloin
5 tablespoons Seville orange juice
1 tablespoon annatto seeds
½ teaspoon cumin seeds
½ teaspoon dried oregano
12 peppercorns
3 allspice berries
2 pasilla chilies
4 cloves garlic
2 large pieces of banana leaf
salt to taste

Sauce

½ cup finely chopped onion
2 habanero chilies
⅔ cup Seville orange juice
salt to taste

Preparation

Pierce the meat all over with a fork and rub with salt and two table-

jugo de naranja. Moler las semillas de achiote, los cominos, el orégano, los granos de pimienta y de pimienta gorda hasta tener un polvo fino. Tostar, desvenar y quitar las semillas a los chiles secos, machacarlos con el ajo, poner sal al gusto, tres cucharadas de jugo de naranja y mezclar con el polvo de especias. Debe quedar una pasta espesa. Tostar ligeramente las hojas de plátano sobre la llama. Cubrir la carne con la pasta, envolver en las hojas de plátano y dejar sazonar ocho horas o toda la noche.

Calentar agua en una vaporera y colocar la carne en su interior.

Cocer por tres horas. Voltear la carne y empaparla con el jugo que ha quedado en el fondo de la olla. Dejar cocer por dos horas más.

La salsa

Mezclar la media taza de cebolla picada, los chiles habaneros también picados, el jugo de naranja agria y sal. Dejar sazonar por alrededor de dos horas y servir aparte.

Para servir

Desmenuzar la carne y verter sobre ella el jugo que ha quedado en el fondo de la vaporera. Servir caliente acompañada con tortillas y salsa. Rinde seis porciones.

spoons of orange juice. Grind the annatto, cumin, oregano, peppercorns and allspice into a fine powder. Toast the *pasilla* chilies, remove veins and seeds and mash with the garlic, salt to taste and three tablespoons of orange juice then mix into a stiff paste with the powdered spices. Toast the banana leaves lightly over a flame. Cover the meat with the spice paste, wrap in the leaves and leave for 8 hours or overnight for the flavors to penetrate. Heat water in a steamer and place meat inside and cook for three hours. Turn the meat over and baste with the juices from the steamer. Steam for two hours longer.

Sauce

Mix the onion, chopped *habanero* chilies, orange juice and salt to taste. Leave to stand for two hours and serve separately.

To serve

Shred the meat and pour the, juices from the steamer over it. Serve hot with tortillas and sauce. Serves six.

Chicharrón en salsa roja

Ingredientes

¼ kg de chicharrón
½ kg de jitomates
1 cebolla
2 dientes de ajo
4 chiles verdes serranos
3 ramas de cilantro
1 cucharada de aceite
sal al gusto

Preparación

Romper el chicharrón en trozos no muy grandes. Poner a hervir los jitomates en poca agua, pelarlos y licuarlos con esa misma agua junto con los chiles, la cebolla, el ajo, el cilantro y sal. Freír la salsa y agregar los trozos de chicharrón. Si se reseca agregar agua. Dejar hervir diez minutos. Rinde seis porciones.

Chicharrón in red sauce

Ingredients

½ lb chicharrón
1 lb tomatoes
1 onion
2 cloves garlic
4 fresh serrano chilies
3 sprigs coriander
1 teaspoon oil
salt to taste

Preparation

Break the chicharrón into squares (about 1½ in.). Boil the tomatoes in a little water, peel and blend with the cooking water with the chilies, onion, garlic, coriander and salt to taste. Fry the sauce and add the pieces of chicharrón. Cook over medium heat for three minutes, adding water if the sauce starts to dry up. Serves six.

Chicharrón en salsa verde

Ingredientes

¼ kg de chicharrón
½ kg de tomates verdes
1 cebollas
2 dientes de ajo

Chicharrón in green sauce

Ingredients

½ lb chicharrón
1 lb tomatillos
1 onion
2 cloves garlic

4 chiles verdes serranos 3 ramas de cilantro 1 cucharada de aceite sal al gusto	4 fresh **serrano** chilies 3 sprigs coriander 1 tablespoon oil salt to taste

Preparación

Romper los chicharrones en trozos no muy grandes. Poner a hervir los tomates en poca agua y licuarlos en esa misma agua junto con los chiles, la cebolla, el ajo, el cilantro y la sal. Freír ligeramente la salsa y agregar los trozos de chicharrón. Dejar hervir diez minutos y si se reseca agregar agua. Rinde seis porciones.

Preparation

Break the *chicharrón* into squares (about 1½ in.). Boil the tomatillos in a little water and blend with the cooking water, chilies, onion, garlic, coriander and salt to taste. Fry the sauce lightly and add the *chicharrón*. Cook for ten minutes, adding water if the sauce starts to dry up. Serves six.

Espinazo de cerdo con verdolagas

Pork backbone with purslane

Ingredientes

¼ kg de espinazo
½ kg de verdolagas
1 jitomate
½ cebolla
2 dientes de ajo
1 chile pasilla
1 chile ancho
1 chile mulato
2 limones
3 cucharadas de aceite
sal al gusto

Ingredients

2 lb meaty pork backbone
1 lb purslane
1 tomato
½ onion
2 cloves garlic
1 pasilla *chili*
1 ancho *chili*
1 mulato *chili*
2 limes
3 tablespoons oil
salt to taste

Preparación

Lavar las verdolagas y quitarles los tallos gruesos. Lavar el espinazo y cortarlo en trozos. Hervir en agua salada. Tostar los chiles, quitarles las semillas y hervir. Cuando se hayan ablandado agregar el jitomate previamente pelado y licuarlo con los chiles, el ajo, la cebolla y sal. Hervir las verdolagas en una cacerola honda. Freír la salsa y, cuando esté bien sazonada, agregar las verdolagas, la carne y el caldo. Hervir hasta que espese la salsa y al servir rociar con unas gotas de limón. Rinde seis porciones.

Preparation

Wash the purslane, discarding the thick stalks. Wash the pork, cut into 2 in. lengths and boil in salted water. Toast the chilies, remove seeds and boil. When softened, add the peeled tomato and blend with the garlic, onion and salt. Boil the purslane in a deep pan. Fry the chili sauce until the flavors are well blended, then add the drained purslane, meat and broth. Cook until the sauce thickens and just before serving, sprinkle with a little lime juice. Serves six.

Patas a la vinagreta

Ingredientes

6 patas de cerdo
2 jitomates
1 cebolla grande
½ taza de vinagre
1 cucharada de consomé en polvo
1 cabeza de ajo
½ taza de aceite de oliva
2 aguacates
2 cucharaditas de orégano
12 granos de pimienta negra
6 granos de pimienta dulce

Pig's feet in vinaigrette

Ingredients

6 pig's feet
2 tomatoes
1 large onion
½ cup vinegar
1 tablespoon chicken stock powder
1 head garlic
½ cup olive oil
2 avocados
2 teaspoons oregano
12 black peppercorns
6 allspice berries

Preparación
Pasar las patas de cerdo por el fuego para eliminar los pelos y lavarlas bien. Hervirlas con la cebolla y el ajo. Cambiar el agua tres veces y cocer hasta que estén tiernas. Partirlas a lo largo y acomodar en un platón. Rebanar los jitomates y los aguacates, mezclar el aceite con el vinagre, el consomé en polvo, los granos de pimienta y el orégano y verter sobre las patas. Adornar con las rebanadas de aguacate y de jitomate. Rinde tres porciones.

Preparation
Pass the pig's feet over a flame to singe off any hairs or bristles and wash well. Boil with the onion and garlic, changing the water three times and cook until tender. Split in half lengthwise and arrange on a serving platter. Slice the tomatoes and avocados. Mix the oil, vinegar, stock powder, peppercorns, allspice berries and oregano and pour over the meat. Garnish with tomato and avocado. Serves three.

Pierna al horno

Ingredientes

3 kg de pierna de cerdo
3 dientes de ajo
½ cucharadita de pimienta
¼ cucharadita de salvia
¼ cucharadita de estragón
1 cucharada de mostaza
1 cucharada de sal de cebolla
¼ cucharadita de tomillo
¼ de taza de jugo de limón
¼ de taza de jugo de naranja
1 hoja de laurel
¼ taza de harina
½ taza de vino tinto

Roast leg of pork

Ingredients

6 lb leg of pork
3 cloves garlic
½ teaspoon pepper
¼ teaspoon dried sage
¼ teaspoon dried tarragon
1 tablespoon mustard
1 tablespoon onion salt
¼ teaspoon dried thyme
¼ cup lime juice
¼ cup orange juice
1 bay leaf
¼ cup flour
½ cup red wine

Preparación
Mezclar bien los ajos finamente picados, todas las especias, la hoja de

Preparation
Mix the finely chopped garlic, the condiments, crumbled bay leaf, cit-

laurel cortada en trocitos, los jugos y el harina. Cubrir la pierna con esta mezcla, colocarla en un refractario y hornear a temperatura media por una hora y media. Rociar la pierna con el vino tinto y dejar 20 minutos más o hasta que esté bien cocida. Rinde ocho porciones.

rus juices and flour well together. Coat the pork with this paste, place in an ovenproof dish and roast in a medium oven for one hour and a half. Pour the wine over the leg and leave for 20 minutes longer or until the meat is well cooked. Serves eight.

Lomo a la oaxaqueña

Ingredientes

750 gr de lomo de puerco
70 gr de camarón seco
25 gr de ajonjolí
2 cucharadas de crema agria
1 chile mulato
1 chile pasilla
1 chile ancho
1 chipotle adobado
consomé en polvo al gusto
½ taza de aceite o manteca

Preparación

Cortar la carne en trozos chicos. Tostar los chiles secos, desvenarlos, molerlos con un poco de agua y freírlos. Tostar y moler el ajonjolí. Moler el camarón y picar el chipotle adobado. En una olla freír la carne hasta que se consuma la grasa. Revolver todos los ingredientes

Oaxaca style pork tenderloin

Ingredients

1½ lb tenderloin
2½ oz dried shrimp
1 scant ounce sesame seeds
2 tablespoons sour cream
1 mulato chili
1 pasilla chili
1 ancho chili
1 chipotle chili in sauce (adobo)
chicken stock powder to taste
½ cup oil or lard

Preparation

Cut the meat into small pieces. Toast the three dried chilies, blend with a little water and fry. Toast and grind the sesame seeds. Grind the shrimp. Fry the meat in a casserole until all the fat is absorbed. Mix together all the ingredients except the cream and add to the meat. If

a excepción de la crema y vaciar en la olla con la carne. Si la salsa está demasiado espesa agregar un poco de agua y consomé en polvo. Dejar hervir diez minutos. Al servir se agregan dos cucharadas de crema agria. Rinde seis porciones.

the sauce seems too thick add a little water with stock powder to taste. Cook for ten minutes. Just before serving, add the cream. Serves six.

Tinga

Shredded pork in savory sauce

Ingredientes

½ kg de lomo de cerdo
200 gr de longaniza
2 jitomates
1 papa
2 aguacates
3 cebollas chicas
1 diente de ajo
2 chiles chipotles
2 cucharadas de manteca
1 cucharadita de vinagre

Ingredients

1 lb tenderloin
7 oz chorizo or hot Italian sausage
2 tomatoes
1 potato
2 avocados
3 small onions
1 clove garlic
2 chipotle chilies in adobo
2 tablespoons lard
1 teaspoon vinegar
salt to taste

Preparación

Hervir la carne con una cebolla y sal. Guardar el caldo. Cuando esté cocida retirar del fuego, dejar enfriar y deshebrar. Cocer la papa, pelarla y cortar en cuadritos pequeños. Asar, pelar, quitar las semillas y moler los jitomates. Picar los chipotles muy fino y agregarles la cucharadita de vinagre. Cortar una

Preparation

Boil the meat with one onion and salt. When tender, remove from heat, leave to cool and shred. Boil the potato, peel and cut into small dice. Toast and peel the tomatoes, remove seeds and blend. Chop the chilies very fine and add the vinegar. Cut one onion into rings and leave in salted water. Chop the re-

cebolla en rebanadas y dejar en agua con sal, picar la otra. En una olla calentar la manteca y freír la longaniza desmenuzada. Retirar ésta del recipiente y, en la misma grasa, freír la cebolla y el ajo picados junto con la carne deshebrada, agregar el jitomate, la papa, la longaniza, el chipotle y una taza del caldo. Dejar cocer hasta que se seque un poco. Servir adornada con las rodajas de cebolla y rebanadas de aguacate. Rinde seis porciones.

maining onion. Heat the lard in a casserole and fry the skinned, crumbled sausage. Remove, and in the same fat fry the chopped onion and garlic, and shredded meat. Add the tomato puree, potato, sausage and chopped chilies. Cook until the mixture dries out a little. Serve garnished with onion rings and slices of avocado. Serves six.

De res

Albóndigas con chicharrón

Ingredientes

Para el caldillo

5 jitomates
1 diente de ajo
1 cebolla pequeña
3 cucharadas de aceite
consomé en polvo al gusto

Para las albóndigas

½ kg de carne de res molida
½ kg de carne de puerco molida
1½ tazas de chicharrón molido

Beef

Meatballs with chicharrón

Ingredients

The broth

5 tomatoes
1 clove garlic
1 small onion
3 tablespoons oil
chicken or beef stock powder to taste

The meatballs

1 lb ground beef
1 lb ground pork
1½ cups ground chicharrón
1 small onion
2 eggs

1 cebolla pequeña
2 huevos
2 dientes de ajo
8 hojas de yerbabuena
1 cucharada de consomé en polvo
2 tomates verdes
3 chiles chipotles adobados
2 cucharadas de arroz cocido
sal y pimienta al gusto

2 cloves garlic
8 leaves mint
1 tablespoon chicken or beef stock powder
2 tomatillos
3 chipotle chilies in sauce (adobados)
2 tablespoons cooked rice
salt and pepper to taste

Preparación

El caldillo

Hervir los jitomates y licuarlos con el ajo y la cebolla. Freír en aceite caliente. Agregar dos tazas de agua y consomé al gusto. Cocer durante diez minutos.

Las albóndigas

Licuar los tomates verdes, el ajo, la cebolla, la yerbabuena, los huevos, el consomé y los chipotles. Colocar la carne en un recipiente y agregar el arroz cocido, el chicharrón molido, sal y pimienta. Incorporar la salsa licuada y mezclar todo. Formar las albóndigas de unos tres cm de diámetro y colocarlas en una olla con el caldillo de jitomate. Dejar cocer 20 minutos. Rinde ocho pociones.

Preparation

The broth

Boil the tomatoes and blend them with the garlic and onion. Fry in the oil. Add two cups of water and stock powder to taste. Cook for ten minutes.

The meatballs

Blend the tomatillos, garlic, mint, eggs, stock powder and chilies. Put the meat in a bowl and add the rice, *chicharrón*, salt and pepper. Add the blended sauce and mix well. Shape the mixture into balls the size of a walnut and cook in the tomato broth for 20 minutes. Serves eight.

Albóndigas en chipotle

Meatballs in chipotle sauce

Ingredientes

Para el caldillo

5 jitomates
1 diente de ajo
1 cebolla pequeña
1 cucharadita del jugo de los chipotles
3 cucharadas de aceite
consomé en polvo al gusto

Para las albóndigas

½ kg de carne molida de res
½ kg de carne molida de cerdo
½ taza de arroz cocido
3 tomates verdes
2 huevos
5 hojas de yerbabuena
2 chipotles adobados
2 dientes de ajo
1 cebolla pequeña
1 cucharada de consomé en polvo

Ingredients

The broth

5 tomatoes
1 clove garlic
1 small onion
1 teaspoon canned chipotle juice
3 tablespoons oil
chicken or beef stock powder to taste

The meatballs

1 lb ground beef
1 lb ground pork
½ cup cooked rice
3 tomatillos
2 eggs
5 leaves mint
2 chipotle chilies in sauce (adobados)
2 cloves garlic
1 small onion
1 tablespoon chicken or beef stock powder

Preparación

El caldillo

Licuar los jitomates con el ajo, la cebolla y la cucharadita de jugo de los chipotles. Colar y freír en aceite caliente. Dejar sazonar diez minutos y agregar tres tazas de agua y el consomé. Cocinar durante diez minutos. Retirar del fuego.

Las albóndigas

Licuar los tomates verdes, el ajo, la cebolla, la yerbabuena, los huevos, el consomé y los chipotles. Colocar la carne en un recipiente y agregar el arroz cocido, sal y pimienta al gusto. Incorporar la salsa licuada y mezclar todo. Formar las albóndigas de unos tres cm de diámetro y colcarlas en una olla con el caldillo de jitomate. Dejar cocer 20 minutos. Rinde ocho porciones.

Preparation

The broth

Blend the tomatoes with the garlic, onion and *chipotle* juice. Strain. Strain and fry in the oil then cook for ten minutes to mix the flavors. Add three cups of water and stock powder and cook for ten minutes longer. Remove from heat.

The meatballs

Blend the tomatillos, garlic, onion, mint, eggs, stock powder and chilies. Put the meat in a bowl and add the rice and stock powder. Stir in the blended sauce and mix well. Shape the mixture into balls the size of a walnut and cook in the tomato broth for 20 minutes. Serves eight.

Bistés rancheros

Ingredientes

6 bistés gruesos de lomo
1 diente de ajo
1 cucharadita de aceite
sal y pimienta al gusto

Preparación
Picar finamente el ajo, mezclarlo con la sal y la pimienta. Sazonar los

Ranch style steaks

Ingredients

6 thick chuck steaks
1 clove garlic
1 tablespoon oil
salt and pepper to taste

Preparation
Chop the garlic very finely and mix with salt and pepper. Coat the

bistés por ambos lados con esta preparación y dejar reposar por una hora. Colocarlos en un refractario aceitado, tapar y hornear a temperatura media 30 minutos. Rinde seis porciones.

steaks with this mixture on both sides and leave to stand for one hour. Arrange in a greased oven-proof dish, cover and bake in a medium oven for 30 minutes. Serves six.

Carne asada a la tampiqueña

Ingredientes

6 bistés de filete delgados
⅓ de taza de jugo de limón
sal y pimienta al gusto
rajas de chile poblano (p. 132)
enchiladas verdes (p. 159)

Preparación

Sazonar la carne por ambos lados con el jugo, la sal y la pimienta. Enrollar cada pedazo y dejar que se impregnen por 30 minutos. Engrasar ligeramente la plancha y asar la carne por ambos lados hasta que adquiera un color café. Servir de inmediato acompañados con rajas y chile poblano y enchiladas verdes. Rinde seis porciones.

Tampico style steak

Ingredients

6 long, thin fillet steaks cut across the grain
⅓ cup lime juice
salt and pepper to taste
fried poblano chili strips (p. 132)
green enchiladas (p. 159)

Preparation

Season the meat on both sides with the lime juice, pepper and salt. Roll up and leave 30 minutes for the seasoning to penetrate. Grease a metal griddle or hotplate lightly and brown the steaks on both sides, cooking to taste. Serve immediately with the chili strips and *enchiladas*.

Cuete enchilado frío

Cold beef in chili sauce

Ingredientes

1½ kg de cuete
1 cebolla
3 dientes de ajo
2 huevos cocidos
2 chiles guajillos
¼ taza de perejil picado
¼ taza de vinagre
1 hojas de laurel
½ taza de aceite de oliva
1 cucharada de sal
pimienta y paprika al gusto

Ingredients

3 lb eye of round
1 onion
3 cloves garlic
2 hard-cooked eggs
2 guajillo chilies
¼ cup minced parsley
¼ cup vinegar
1 bay leaf
½ cup olive oil
1 tablespoon salt
pepper and paprika to taste

Preparación

Hervir el cuete una hora en una olla express con agua hasta cubrir, junto con la cebolla partida, los ajos, el laurel y la sal a fuego moderado. Ya cocida cortar en rebanadas delgadas cuando aún esté caliente y colocarla en una fuente. Tostar los chiles guajillos y quitarles las venas y semillas. Licuar el perejil, el aceite de oliva, el vinagre, los chiles guajillos, sal y pimienta al gusto. Bañar la carne con esta salsa y decorar con los huevos picados finamente y espolvorear con un poco de paprika. Rinde ocho porciones.

Preparation

Pressure cook the meat with the halved onion, garlic, bay leaf and salt in water to cover for one hour over medium heat. Slice the meat thinly while still quite hot and put in a deep serving dish. Toast the chilies and remove seeds and veins. Blend the parsley, olive oil, vinegar, chilies, salt and pepper. Pour the sauce over the sliced meat, garnish with chopped eggs and sprinkle with paprika. Serves eight.

Filete enchocolatado

Ingredientes

½ kg de filete de res
1 tablilla de chocolate amargo
½ taza de vino blanco
½ cebolla
1 diente de ajo
3 cucharadas de mantequilla
1 manojo pequeño de perejil
sal y pimienta al gusto

Preparación

Picar finamente el ajo y la cebolla. Rallar el chocolate y sazonar el filete con sal y pimienta. Freírlo después en mantequilla y dejar dorar. Añadir la cebolla y el ajo, el vino y una taza de agua. Dejar cocer a fuego lento y, cuando la carne esté cocida, agregar el chocolate. Dejar hervir diez minutos más. Antes de servir espolvorear con el perejil. Rinde cuatro porciones.

Fillet with chocolate

Ingredients

1 lb fillet steak
1 tablet Mexican drinking chocolate
½ cup white wine
½ onion
1 clove garlic
3 tablespoons butter
1 small bunch parsley
salt and pepper to taste

Preparation

Chop the onion and garlic finely. Grate the chocolate. Season the meat with salt and pepper and brown in the butter. Add the onion, garlic, wine and one cup of water. Simmer until the meat is tender then add the chocolate and simmer for ten minutes longer. Just before serving, sprinkle with chopped parsley. Serves four.

Lengua a la veracruzana

Ingredientes

1½ kg de lengua
2 jitomates grandes
½ taza de aceitunas deshuesadas

Veracruz style tongue

Ingredients

1 ox tongue weighing 3 lb
2 large tomatoes
½ cup olives
1 clove garlic

1 diente de ajo
½ cebolla
½ taza de alcaparras
½ taza de perejil picado
½ taza de aceite
1½ cucharadas de consomé en polvo
2 cucharadas de fécula de maíz
chiles largos al gusto

½ onion
½ cup capers
½ cup minced parsley
½ cup oil
1½ tablespoons chicken or beef stock powder
2 tablespoons cornstarch
largo (güero) chilies to taste

Preparación

Hervir la lengua en agua con sal al gusto por una hora. Cuando esté cocida limpiar, pelar y rebanar verticalmente con un grueso de uno y medio cm más o menos. Licuar el jitomate con el ajo y la cebolla. Agregar la fécula de maíz al aceite y cocer hasta que tome un color marfil. Añadir el jitomate y cocer 15 minutos. Agregar dos tazas de agua, la lengua rebanada, las alcaparras, las aceitunas, perejil picado, consomé en polvo y los chiles largos. Dejar hervir diez minutos más. Rinde ocho porciones.

Preparation

Bring the tongue to a boil in salted water and cook gently until tender (this may take up to 4 - 5 hours, or 60 minutes in a pressure cooker). When cooked allow to cool slightly, skin and cut off the gristly back part. Cut downwards into ¾ inch slices. Blend the tomatoes with the garlic and onion. Fry the cornstarch in the oil until slightly colored then add the tomato puree and cook for 15 minutes. Add two cups of water, the sliced tongue, olives, capers, parsley, stock powder and chilies. Cook for another ten minutes. Serves eight.

Lengua en chile ancho

Tongue in chile ancho sauce

Ingredientes

1 kg de lengua de res
8 dientes de ajo

Ingredients

1 ox tongue weighing 2 lb
8 cloves garlic

4 chiles anchos
1 cucharadita de vinagre
sal y orégano al gusto

4 ancho *chilies*
1 teaspoon *vinegar*
salt and oregano to taste

Preparación
Hervir, pelar y rebanar la lengua en forma vertical y un grosor de uno y medio cm más o menos. Tostar, desvenar y remojar los chiles anchos. Luego licuar con seis dientes de ajo, el vinagre, orégano y sal. Freír dos dientes de ajo, retirarlos y freír en ese mismo aceite la salsa. Agregar un poco de agua, incorporar la lengua rebanada, añadir sal, calentar y servir. Rinde seis porciones.

Preparation
Cook, clean and slice the tongue as in the recipe above. Toast, devein and soak the chilies then blend with six cloves of garlic, the vinegar, oregano and salt. Fry 2 whole cloves of garlic, remove, and fry the sauce in the flavored oil. Add a little water, the sliced tongue and salt to taste. Simmer to heat the meat through. Serves six.

Pancita

Tripe stew

Ingredientes

1 kg de pancita de res
3 jitomates
3 calabazas cortadas en cuadritos
3 chiles guajillos
½ cebolla chica
1 diente de ajo
2 cucharadas de epazote picado
½ cucharada de consomé en polvo
3 cucharadas de aceite
orégano al gusto

Ingredients

2 lb beef tripe
3 tomatoes
3 zucchini, diced
3 guajillo *chilies*
½ small onion
1 clove garlic
2 tablespoons minced epazote
½ tablespoon chicken or beef stock powder
3 tablespoons oil
oregano to taste

Preparación

Limpiar la pancita, cocerla por media hora y cortarla en cuadritos. Tirar el agua y cambiar por agua limpia, hervir media hora más. Repetir esta operación por tercera vez. Lavar con agua fría y dejar escurrir. Tostar, desvenar y remojar los chiles en agua caliente. Luego licuar los chiles, los jitomates, la cebolla, el ajo y el consomé en polvo. Colar y freír en una cacerola con aceite y agregar las calabazas y la pancita. Hervir por 15 minutos o hasta que las calabazas estén cocidas. Al servir, espolvorear con orégano y epazote. Rinde seis porciones.

Preparation

Clean the tripe, boil for 30 minutes then cut into small squares. Discard the cooking water, replace with fresh and boil the tripe for 30 minutes longer. Repeat the operation. Rinse the tripe in cold water and allow to drain. Devein the chilies and soak in hot water. Blend the chilies, tomatoes, onion, garlic and stock powder. Strain, fry in the oil then add the zucchini and tripe. Cook for 15 minutes or until the zucchini are tender. Sprinkle each serving with oregano and *epazote*. Serves six.

Puntas de filete a la mexicana

Ingredientes

½ kg de puntas de filete
3 jitomates
1 cebolla chica
4 chiles serranos
1 diente de ajo
4 cucharadas de aceite
sal y pimienta al gusto

Tenderloin tips, Mexican style

Ingredients

1 lb tenderloin
3 tomatoes
1 small onion
4 serrano chilies
1 clove garlic
4 tablespoons oil
salt and pepper to taste

Preparación

Cortar las puntas de filete en trozos pequeños. Picar la cebolla finamente. Asar los jitomates, los chiles y el ajo, pelarlos y picarlos. En una cacerola calentar dos cucharadas de

Preparation

Cut the steak into small cubes. Chop the onion finely. Toast the tomatoes, chilies and garlic; peel and chop. Heat the two tablespoons of oil in a clay casserole and fry the

aceite y freír la carne bien tapada. Aparte, freír el picadillo con el aceite restante y, cuando esté bien sazonado, agregarlo a la carne con sal y pimienta al gusto. Rinde seis porciones.

meat, tightly covered. Fry the vegetable mixture separately in the remaining oil and when flavors are well combined, add to the meat, with salt and pepper. Serves six.

Tortitas de carne

Ingredientes

300 gr de carne molida de res y puerco
2 jitomates
4 huevos
2 papas
1 cebolla
3 dientes de ajo
1 cucharada de harina
perejil al gusto
aceite, el necesario
sal y pimienta al gusto

Preparación

Pelar y picar los jitomates. Picar finamente la cebolla, los ajos y el perejil. Cocer las papas. Freír los ajos y la cebolla; cuando esté acitronada, agregar el jitomate y dejar freír hasta que esté bien sazonado, agregar la carne cruda y sal al gusto. Tapar, bajar la flama y dejar que se cueza la carne y que se seque un poco. Retirar del fuego y agregar las papas peladas aún calientes y machacar con todos los demás ingredientes; agregar el perejil. Batir las

Meat patties

Ingredients

11 oz ground beef and pork, mixed
2 tomatoes
4 eggs, separated
2 potatoes
1 onion
3 cloves garlic
1 tablespoon all-purpose flour
parsley to taste
oil for frying
salt and pepper to taste

Preparation

Peel and chop the tomatoes. Chop the onion, garlic and parsley finely. Boil the potatoes unpeeled. Fry the onion and garlic gently until transparent, add the tomato and and continue frying until the mixture is cooked through. Add the raw meat and salt to taste. Cover, lower the heat and cook until the meat is done and the mixture has dried out a little. Remove from heat, add peeled, hot potatoes and mash with the other ingredients; add the

claras a punto de turrón y añadir la yemas, luego agregar todo a la carne, junto con la harina y sal. Calenta el aceite, poner cucharadas de esta mezcla e ir dorando las tortitas a fuego lento. Si la masa se desmorona, agregar más harina. Se acompañan con guacamole, frijoles refritos y ensalada. Rinde cuatro porciones.

parsley. Beat the egg whites until stiff and fold in the beaten yolks, then mix in the meat, flour and salt to taste. Heat the oil and gently fry tablespoons of the mixture until golden. If the mixture tends to fall apart, add more flour. Accompany with guacamole, fried beans and green salad. Serves four.

Barbacoa de lomo en olla

Steamed tenderloin

Ingredientes

1 ½ kg de lomo o pierna de res
100 gr de chiles anchos
5 dientes de ajo
5 cominos
2 hojas de aguacate
20 hojas secas de maíz
sal al gusto

Ingredients

3 lb tenderloin or round steak
4 oz ancho chilies
5 cloves garlic
5 cumin seeds
2 avocado leaves
20 dried corn husks
salt to taste

Preparación

Tostar, desvenar y remojar los chiles por 30 minutos. Luego molerlos con los ajos, los cominos y sal. Remojar las hojas de maíz hasta que ablanden y queden flexibles. Cortar la carne en trozos chicos y bañar con la salsa. Extender las hojas de maíz. Colocar en cada una de ellas una parte de carne con salsa y un trocito de hoja de aguacate. Envolver y amarrar. En una vaporera calentar agua y colocar la carne

Preparation

Toast the chilies, remove seeds and veins and soak in hot water for thirty minutes. Blend with the garlic, cumin and salt to taste. Soak the corn husks until they soften and become pliable. Cut the meat into small cubes and mix with the sauce. Open out the husks, place a portion of meat on each, topped with a small piece of avocado leaf. Wrap and ties. Heat water in a steamer and place the meat par-

cuidando que no se moje. Tapar bien y dejar cocer de 30 a 45 minutos. Rinde diez porciones.

cels on the rack, taking care that they to not come into contact with the water. Cover and steam for 30 to 45 minutes. Serves ten.

De carnero

Mixiotes de carnero

Ingredientes

1 kg de carne de carnero maciza
1 cebolla
6 chiles anchos
3 dientes de ajo
50 gr de almendras
¼ de vinagre
1 taza de caldo de pollo
10 hojas de aguacate
10 hojas para mixiote
orégano al gusto
sal y pimienta al gusto

Preparación

Remojar las hojas para mixiote dos horas. Cortarlas en cuadros de 25 cm. Tostar los chiles, desvenarlos y remojarlos en el caldo caliente, licuarlos en ese mismo caldo junto con los ajos, la cebolla y las almendras peladas; sazonar con sal, orégano y pimienta. Cortar la carne en trozos pequeños y macerar en la salsa media hora. Extender las hojas y poner sobre cada una carne

Lamb and Mutton

Mixiotes

Ingredients

2 lb boneless lamb or mutton
1 onion
6 ancho chilies
3 cloves garlic
2 oz almonds, blanched
¼ cup vinegar
1 cup chicken stock
10 avocado leaves
10 mixiotes (maguey leaf skins)
oregano to taste
salt and pepper to taste

Preparation

Soak the *mixiotes* for two hours, then cut into 10-inch squares. Toast the chilies, remove veins and seeds and soak in the hot stock. Blend chilies, stock, garlic, onion and almonds; add salt, pepper and oregano to taste. Cut the meat into small cubes and macerate in the sauce for 30 minutes. Spread out the squares of *mixiote* and put a portion of meat on each, topped with

bañada en salsa y una hoja de aguacate. Tomar las puntas de las hojas y jalarlas hacia arriba formando bolsitas, atarlas. Cocer los mixiotes en una vaporera por media hora. Rinde seis porciones.

an avocado leaf. Gather the corners of the skins together to make pouches and tie with kitchen twine. Steam for 30 minutes. Serves six.

Pierna de carnero enchilada

Ingredientes

2 kg de pierna
1 jitomate grande
6 chiles anchos
3 dientes de ajo
2 tazas de consomé de pollo
2 cucharadas de aceite
1 pizca de azúcar
sal y pimienta al gusto

Preparación

Quitar las venas y las semillas de los chiles y remojar en agua tibia por 45 minutos. Cortar el ajo en tiritas, picar la cebolla, pelar el jitomate, quitarle las semillas y picarlo.

Mechar la pierna con el ajo; frotarla con sal y pimienta y colocar dentro de una cacerola pesada que tenga tapa.

Colocar la cebolla, el jitomate y los chiles con una pizca de azúcar y licuar hasta obtener una salsa no muy molida. Calentar el aceite en una olla, añadir el puré y cocer cinco minutos revolviendo constante-

Leg of Lamb braised in chili sauce

Ingredients

1 leg of lamb weighing 4 lb
1 large tomato
6 ancho chilies
3 cloves of garlic
2 cups chicken stock
2 tablespoons oil
pinch of sugar
salt and pepper to taste

Preparation

Remove the seeds and veins from the chilies and soak in warm water for 45 minutes. Cut the garlic into slivers, chop the onion, peel the tomatoes, remove the seeds and chop. Pierce the meat in several places with the point of a small knife and insert slivers of garlic; rub with salt and pepper and place in a heavy lidded casserole. Blend the onion, tomato and chilies into a rough puree. Heat the oil in a saucepan, add the puree and fry for five minutes, stirring constantly. Add the stock, mix and pour over the

mente. Agregar el caldo y volcar sobre la pierna. Sellar la olla con papel aluminio y cubrir con la tapa. Hornear a temperatura media por tres horas o hasta que la carne esté tierna al pincharla con un tenedor. Rinde seis porciones.

meat. Cover the casserole tightly with aluminum foil and then the lid. Braise in a medium oven for three hours or until the meat is tender when tested with a fork. Serves six.

De cabrito

Cabrito enchilado

Ingredientes

1 cabrito cortado en piezas
5 chiles anchos
4 dientes de ajo
1 taza de jugo de naranja
4 cucharadas de vinagre
1 cucharadita de mostaza
1 cucharadita de orégano
2 cucharadas de aceite
sal y pimienta al gusto

Preparación
Quitar las venas y remojar los chiles anchos en agua tibia por 45 minutos. Mezclar el jugo de naranja con la mostaza. Moler el chile con el ajo, el orégano, el vinagre, sal y pimienta al gusto. Embadurnar las piezas de cabrito con esta preparación y colocarlas en un refractario o molde para hornear previamente aceitado. Agregar una taza de agua

Kid

Braised kid in chili sauce

Ingredients

1 kid, cut into pieces
5 ancho chilies
4 cloves garlic
1 cup orange juice
4 tablespoons vinegar
1 teaspoon mustard
1 teaspoon oregano
2 tablespoons oil
salt and pepper to taste

Preparation
Remove the seeds and veins from the chilies and soak in warm water for 45 minutes. Mix the orange juice and mustard. Blend the chilies with the garlic, oregano, vinegar, salt and pepper and coat the pieces of kid. Place the meat in a greased ovenproof dish or roasting pan and add one cup of water and half the seasoned orange juice. Cover with

y media de jugo de naranja. Cubrir con una hoja de aluminio y hornear a temperatura media. Bañar el cabrito cada 15 minutos con el resto del jugo de naranja mezclado con una taza de agua hasta que la carne esté cocida. Unos diez minutos antes de servir quitar el papel aluminio para que la carne se dore. Rinde de ocho a diez porciones.

aluminum foil and braise in a medium oven, basting every 15 minutes with the remaining orange juice mixed with a cup of water until the meat is tender. Some ten minutes before serving, remove the foil so that the meat can brown. Serves eight to ten.

Cabrito en chile y consomé

Ingredientes

1 cabrito cortado en trozos
2 tazas de garbanzos
2 cebollas
½ kg de chile ancho
24 chiles de cascabel
2 chiles pasilla
3 tazas de consomé de pollo
1 taza de arroz
10 dientes de ajo
8 cominos
1 clavo
1 trocito de jengibre
½ taza de vinagre
2 cucharadas de aceite
1 manojo de perejil
1 manojo de hierbas de olor
sal y pimienta al gusto

Kid in chili sauce with broth

Ingredients

1 kid, cut into pieces
2 cups chickpeas
2 onions
1 lb ancho chilies
24 cascabel chilies
2 pasilla chilies
2 - 3 cups chicken stock
1 cup rice
10 cloves garlic
8 cumin seeds
1 clove
1 small piece ginger
½ cup vinegar
2 tablespoons oil
1 bunch parsley, minced
1 small bunch of herbs (bay leaf, marjoram, thyme)
salt and pepper to taste

Preparación

Desvenar y remojar los chiles anchos y pasillas, partirlos y molerlos con cuatro dientes de ajo, una cebolla partida, el comino, el clavo, el jengibre y una cucharada de vinagre. Rociar los trozos de cabrito con vinagre y sazonarlos con sal y pimienta y dejar marinar una hora. Freír la carne en aceite caliente; retirar y, en el mismo aceite, freír el puré. Una vez sazonado, añadir dos o tres tazas de consomé, la mitad de las hierbas de olor y la carne. Dejar hervir hasta que espese la salsa. Rinde veinticuatro porciones.

El consomé

Remojar el garbanzo desde la noche anterior. Al día siguiente lavar el arroz. Picar el perejil y la cebolla. Hervir la cabeza, las patas, el rabo y un poco de pescuezo del cabrito en cuatro litros de agua. Agregar los garbanzos, el arroz, la cebolla picada, seis dientes de ajo y el resto de hierbas de olor. Cuando los garbanzos estén cocidos, servir con perejil picado y un chile cascabel en cada plato para acompañar el cabrito.

Preparation

Set the chickpeas to soak the day before.

Meat

Remove the veins and seeds from the *ancho* and *pasilla* chilies and soak. Tear into pieces and blend with four cloves of garlic, one onion, the cumin, clove, ginger and one tablespoon of vinegar. Sprinkle the portions of meat with the remaining vinegar, season with salt and pepper and leave to marinate for 30 minutes. Brown the meat in hot oil, remove, and fry the puree in the same oil. When the sauce is cooked through, add two or three cups of stock, half the bunch of herbs and the meat. Cook until the sauce thickens. Serves 24.

The broth

Boil the head, feet, tail and a piece of neck in 16 cups of water. Add the chickpeas, rice, the other onion, chopped, the remaining six cloves of garlic and the rest of the mixed herbs. When the chickpeas are soft serve each bowl of broth garnished with a *cascabel* chili and parsley to accompany the meat.

Liebre y conejo

Conejo enchilado

Ingredientes

1 conejo
1 jitomate grande
10 dientes de ajo
4 chiles pasilla
1 cucharada de vinagre
½ taza de vino tinto
1 manojo de perejil
2 cominos
aceite, el necesario
sal y pimienta al gusto

Preparación

Lavar bien el conejo y cortarlo en partes, sazonarlo con sal y pimienta. Moler los ajos con el vinagre, los cominos y unas ramitas de perejil. Embadurnar la carne media hora con esta preparación. Picar el resto del perejil. Asar y pelar el jitomate. Tostar y desvenar los chiles. Molerlos con el jitomate y remojar la carne 30 minutos con esta salsa. En una olla calentar aceite y dorar el conejo. Agregar las salsas, el vino tinto, media taza de agua y el perejil picado. Tapar y cocer a fuego lento hasta que la carne esté suave. Rinde cuatro porciones.

Hare and Rabbit

Rabbit in chili sauce

Ingredients

1 rabbit
1 large tomato
10 cloves garlic
4 pasilla chilies
1 tablespoon vinegar
½ cup red wine
1 bunch parsley
2 cumin seeds
oil
salt and pepper to taste

Preparation

Wash the rabbit well, cut into portions and season with salt and pepper. Blend the garlic with the vinegar, cumin and a few sprigs of parsley. Coat the rabbit pieces with this mixture and leave for 30 minutes. Toast the tomato and peel; toast and devein the chilies then blend with the tomato and marinate the meat in this sauce for 30 minutes. Mince the remaining parsley. Heat the oil in a deep casserole and brown the rabbit pieces. Add the wine, half a cup of water and the minced parsley. Cover and simmer until the meat is tender. Serves four.

Liebre a la parrilla

Ingredientes

1 liebre
3 jitomates
2 cebollas
10 dientes de ajo
1 taza de aceite de oliva
2 cucharadas de vino tinto
½ taza de vinagre
sal y pimienta al gusto
1 bolsa de carbón

Preparación

Lavar la liebre y ensartarla en una varilla. Separar el hígado, lavarlo y hervirlo en poca agua. Una vez cocido, molerlo.

Picar las cebollas, los ajos y los jitomates. Encender el carbón y, cuando haga brasas, colocar una parrilla. Asar allí la liebre, cortarla en raciones y colocar en una olla.

Agregar el aceite de oliva y dejar freír unos minutos; añadir la cebolla, el jitomate, el ajo, el vinagre, sal y pimienta al gusto, el vino tinto, un poco de agua y el hígado molido, tapar y dejar hervir por cuatro horas. Cuidar que las brasas no se apaguen, pero que no levanten llamas. Rinde seis porciones.

Barbecued hare

Ingredients

1 hare
3 tomatoes
2 onions
10 cloves garlic
1 cup olive oil
2 tablespoons red wine
½ cup vinegar
salt and pepper to taste

Preparation

Wash the hare. Remove the liver, rinse and cook in a little water. When tender, grind to a paste. Thread the carcass on a spit. Chop the onions, garlic and tomatoes. Light the charcoal, and when the embers are covered with white ash place the hare on the rack. Grill until done. Cut into serving pieces and put in a pan. Add the olive oil and fry for a few minutes; add the onion, tomato, garlic, vinegar, salt and pepper to taste, the wine, a little water and the pureed liver. Cover and cook for four hours, taking care that the charcoal does not go out but does not flame either. Serves six.

Otros

Menudo duranguense

Ingredientes

1 kg de pancita de res
½ kg de panza-libro
½ kg de panza-cuajo (o cua-jar)
2 patas de res
6 jitomates
8 dientes de ajo
6 cebollas
200 gr de chile guajillo
100 gr de chiltepines
½ taza de orégano
2 ramas de epazote
20 limones
consomé en polvo al gusto

Preparación

Lavar muy bien toda la panza, quitarle la grasa y cortarla en trocitos pequeños. Cortar las patas en ocho trozos cada una. Cocer la pancita en una olla con siete litros de agua, sal y una rama de epazote y las patas en otra olla.

Cocer los chiles guajillos, un pedazo de cebolla, los ajos y los jitomates en muy poca agua. Moler todo y colar. En un sartén calentar una cucharada de aceite, una rama de epazote y freír la salsa. Cuando la pancita esté cocida, agregar la sal-

Miscellaneous

Durango style tripe

Ingredients

4 lb beef tripe (preferably a variety of types)
2 cowheels
6 tomatoes
8 cloves garlic
6 onions
7 oz guajillo chilies
3 oz chiltepin chilies
½ cup crumbled oregano
2 sprigs epazote
20 sour limes
chicken or beef stock powder to taste

Preparation

Wash the tripe thoroughly to remove the fat and cut into small pieces. Split each cow heel into eight. Cook the tripe in 7½ quarts of salted water with a sprig of epazote. Boil the cowheels separately. Cook the guajillo chilies, a piece of onion, the garlic and tomatoes in a very little water, blend and strain. Heat one tablespoon of oil in a skillet and fry the puree. When the tripe is well cooked add the chili sauce and cooked cowheel. Season with the stock powder and cook

sa y las patas. Sazonar con consomé en polvo y dejar hervir 15 minutos más.

Servir en cazuelas o platos hondos. Al centro de la mesa colocar en platitos separados el orégano, el resto de la cebolla picada, los chiltepines (o chile piquín) asados y limones partidos. Rinde veinticuatro porciones.

for 15 minutes. Serve in clay bowls or deep soup dishes. Put dishes of oregano, chopped onion, *chilepín* chilies (or ground *piquín*) chile and halved limes on the table for adding according to taste. Serves 24.

Mochomos sinaloenses

Sinaloan shredded meat

Ingredientes

1 kg de lomo de cerdo
1½ cucharadas de sal gruesa
2 cucharadas de aceite
1 cebolla grande
1 chile poblano

Para la salsa

4 jitomates
4 chiles serranos
1 cebolla
2 granos de pimienta
2 cucharaditas de cilantro picado
consomé en polvo al gusto

Ingredients

2 lb pork tenderloin
1½ tablespoons coarse salt
4 tablespoons oil
1 large onion
1 poblano chili

For the sauce

4 tomatoes
2 serrano chilies
1 onion
2 peppercorns
2 teaspoons minced coriander
chicken or beef stock powder to taste

Preparación

Cortar la carne en cuadritos y colocar una capa en el sartén. Agregar la sal y agua hasta cubrir. Cuando hierva, bajar el fuego y dejar hervir

Preparation

Cut the meat into small chunks and arrange in a single layer in a skillet. Add the salt and water to cover. Bring to the boil then lower

sin tapar hasta que se evapore el líquido y la carne esté tierna. Continuar cociendo a fuego lento hasta que quede seca y un poco dura por fuera. Dejar enfriar y desmenuzarla. Asar el chile poblano, quitarle las venas y las semillas y cortar en cuadritos. Calentar una cucharada de aceite y freír dos minutos la cebolla rebanada. Retirarla con una cuchara y agregar el resto del aceite. Añadir la carne desmenuzada y el chile. Revolver hasta que la carne esté bien caliente y comience a dorar. Agregar la cebolla y servir de inmediato con la salsa de jitomate. Rinde seis tazas.

the heat and simmer uncovered until all the liquid has evaporated and the meat is tender. Continue to cook over low heat until the meat is a little crusty on the outside. Let cool and shred. Toast the *poblano* chili, remove veins and seeds and cut into small squares. Heat one tablespoon of oil and fry the sliced onion for two minutes. Remove from pan and add the remaining oil, the shredded meat and squares of chili. Stir until the meat is heated through and beginning to brown. Add the fried onion and serve immediately accompanied with the tomato sauce. Yields six cups.

La salsa

Sauce

Hervir y pelar los jitomates, hervir los chiles serranos, rebanar la cebolla y licuar todo hasta formar un puré suave. Sazonar con un poco de consomé en polvo y adornar con cilantro picado.

Boil and then skin the tomatoes; boil the *serrano* chilies, slice the onion and blend these ingredients into a smooth puree, season with the stock powder and garnish with the coriander.

Queso relleno de carne

Meat filled cheese

Ingredientes

1 queso Edam de 2 kg

Para la base de la salsa de jitomate

5 jitomates
15 aceitunas deshuesadas
½ pimiento dulce

Ingredients

1 Edam cheese weighing 4 lb

For the tomato sauce base

5 tomatoes
15 pitted olives
½ red bell pepper
1 small onion

1 cebolla chica
1 cucharada de alcaparras
1 cucharada de pasas
2 cucharadas de aceite

Para la salsa de carne

2 tazas de caldo de carne
2 cucharadas de harina
1 pizca de azafrán
1 chile güero

Para el relleno

250 gr de carne de cerdo
250 gr de carne de res
6 dientes de ajo
¼ de cucharadita de orégano
10 granos de pimienta
2 gramos de pimienta dulce
2 clavos de olor
1 rajita de canela
2 cucharaditas de vinagre blanco
la mitad de la salsa de jitomate
4 huevos cocidos
el queso ahuecado
2 cucharadas de aceite
sal al gusto

Para la salsa de jitomate

la otra mitad de la base de jitomate
½ taza de jugo de jitomate o agua

1 tablespoon capers
1 tablespoon raisins
2 tablespoons oil

Gravy

2 cups broth from the meat
2 tablespoons all-purpose flour
1 güero chili
pinch of saffron

Filling

9 oz pork
9 oz beef
6 cloves garlic
¼ teaspoon oregano
10 peppercorns
2 whole allspice berries
2 cloves
1 stick cinnamon
2 teaspoons white vinegar
half of the tomato sauce base
4 hard cooked eggs
the hollowed-out cheese
2 tablespoons oil
salt to taste

Tomato sauce

the remaining half of the tomato sauce base
½ cup tomato juice or water

| consomé en polvo al gusto | chicken or beef stock powder to taste |

Preparación

Quitar la cáscara roja del queso. De la parte superior, cortar una rebanada (tapa) de 1½ cm de espesor. Ahuecar el interior del queso hasta que las paredes y el fondo tengan un espesor igual al de la tapa.

Preparation

Peel the red wax from the cheese. Cut a ½ inch thick slice off the top (for a lid). Hollow out the cheese leaving walls and bottom ½ inch thick.

La base de jitomate

Picar el pimiento, las aceitunas y la cebolla finamente. Pelar y quitar las semillas de los jitomates y picarlos. Calentar las dos cucharadas de aceite y freír el pimiento, la cebolla y las alcaparras ligeramente hasta que estén suaves pero no doradas. Moler los jitomates, agregar el resto de los ingredientes. Dejar cocer a fuego medio unos minutos. Dividir la mezcla en dos partes iguales.

Tomato base

Chop the bell pepper, olives and onion finely. Peel the tomatoes, remove the seeds and chop. Heat the two tablespoons of oil in a deep skillet and fry the pepper and onion gently with the capers until soft but not browned. Blend the chopped tomatoes roughly and add to skillet with the remaining ingredients. Cook over medium heat for a few minutes.

El relleno

Asar los tres dientes de ajo. Cortar las carnes en cuadritos y poner el sartén con tres y media tazas de agua, sal al gusto, los dientes de ajo y el cuarto de cucharadita de orégano. Dejar hervir a fuego lento hasta que la carne esté suave. Guardar el caldo. Dejar enfriar.

Moler la pimienta, la pimienta dulce, los clavos, la rajita de canela, tres dientes de ajo, el vinagre y sal al gusto en un molcajete.

Filling

Toast three cloves of garlic. Cut the meats into small cubes (½ inch) and place in a skillet with 3½ cups of water, salt, toasted garlic and oregano. Simmer until the meat is tender. Cool then strain, reserving the broth. Grind the peppercorns, allspice, cloves in a *molcajete* or mortar then mash three cloves of garlic, vinegar and salt to a puree with the spices. Put the meat, the spiced garlic paste and

Poner la carne, los condimentos molidos y la mitad de la mezcla de jitomate en un sartén. Revolver bien. Separar la clara de la yema de los huevos cocidos cuidando que no se rompan. Apartar las yemas y picar las claras. Agregar a los ingredientes del sartén. Cocer a fuego medio hasta que quede casi seco. Colocar la mitad del relleno dentro del queso, poner las yemas enteras y luego la otra mitad del relleno. Cubrir con la tapa del queso. Untar el exterior del queso con aceite, envolver muy bien en una tela y atarla arriba. Colocar el queso en un plato pequeño dentro de una vaporera. Tapar y cocer hasta que el queso esté suave.

La salsa de carne

Tostar el chile güero y remojar 15 minutos en agua tibia. Calentar dos tazas de caldo de la carne en una olla pequeña. Agregar un poco de caldo al harina y mezclar hasta obtener una pasta cremosa. Añadir el resto del caldo y cocer a fuego lento revolviendo constantemente hasta que espese. Agregar el azafrán, el chile y sal o consomé en polvo. Retirar del fuego.

La salsa de jitomate

Calentar la base de jitomate y agregarle la media taza de jugo de jitomate con sal o consomé en polvo al gusto.

Para servir desenvolver el queso, retirar la tapa y verter la salsa de ji-

half the tomato base mixture in a skillet. Stir well. Remove the yolks from the hard cooked eggs, taking care to keep them whole, and reserve. Chop the whites finely and add to the skillet. Cook the filling over medium heat until almost dry. Put half of the filling in the cheese, arrange the egg yolks on top and add the rest of the filling. Cover with the cheese lid. Smear the cheese completely with oil, and wrap securely in cheesecloth, tying it on the top. Place the cheese on a small plate in a steamer, cover with a lid and cook until softened.

Gravy

Toast the chili and soak in warm water for 15 minutes. Heat the broth in a small pan. Add a little to the flour and mix into a smooth cream, then gradually pour in the rest of the broth, mixing well so as to avoid lumps. Simmer, stirring constantly, until the gravy thickens a little. Add the saffron, chili and salt to taste or stock powder. Remove from heat.

Tomato sauce

Heat the remaining tomato base and add ½ cup of tomato juice or water, salt and stock powder.

To serve, unwrap the cheese, remove the "lid" and pour first the tomato sauce then the gravy over

tomate caliente y la otra salsa sobre él. Acompañar con tortillas calientes. Rinde ocho porciones.

it. Accompany with hot tortillas.
Serves eight.

Aves

Barbacoa de pollo

Ingredientes

1 kg de pollo cortado en piezas
4 chiles mulatos
4 chiles pasilla
1 cebolla chica
4 dientes de ajo
¼ cucharadita de comino
¼ cucharadita de orégano
1 naranja
2 cucharadas de vinagre
1 pizca de azúcar
2 cucharadas de mantequilla
1 cucharada de consomé en
polvo
sal y pimienta al gusto

Preparación
Asar los chiles mulatos y pasilla,
desvenarlos y remojarlos en agua
tibia por 45 minutos. Untar las piezas de pollo con mantequilla, sal y
pimienta. Freírlas ligeramente y colocarlas en un recipiente hondo enmantequillado. Licuar los chiles, el

Poultry

Braised chicken in barbecue sauce

Ingredients

2 lb chicken pieces
4 mulato chilies
4 pasilla chilies
1 small onion
4 cloves garlic
¼ teaspoon cumin seeds
¼ teaspoon dried oregano
1 orange, the juice
2 tablespoons vinegar
1 pinch of sugar
2 tablespoons butter
1 tablespoon chicken stock
powder
salt and pepper to taste

Preparation
Toast the chilies, remove veins and
seeds and soak in warm water for
45 minutes. Smear the chicken
pieces with butter, season with salt
and pepper, fry them briefly then
place in a deep buttered saucepan.
Blend the chilies, garlic, cumin, ore-

ajo, el comino, el orégano, el vinagre, una pizca de azúcar, el jugo de naranja y dos tazas de agua. Agregar el consomé en polvo, bañar las piezas de pollo con esta salsa. Tapar la cacerola y cocer a fuego lento 40 minutos o hasta que el pollo esté cocido y la salsa haya espesado. Servir inmediatamente. Se acompaña con tortillas calientes, guacamole, frijoles refritos y ensalada. Rinde cuatro porciones.

gano, vinegar, sugar, orange juice and two cups of water. Add the stock powder. Pour the sauce over the chicken. Cover the pan and cook over low heat for 40 minutes or until the chicken is tender and the sauce has thickened. Serve immediately, accompanied by hot tortillas, guacamole, fried mashed beans and green salad. Serves four.

Mixiotes de pollo estilo casero

Ingredientes

1 pollo de un kilo
1 cebolla grande
12 aceitunas deshuesadas
7 chiles anchos
2 chiles pasilla
2 dientes de ajo
1 tableta de achiote
3 cucharadas de vinagre
1 rama de epazote
sal y pimienta al gusto
12 hojas de mixiote

Preparación

Lavar y cortar el pollo en trozos muy pequeños, pero sin deshuesar. Tostar los chiles ligeramente, desvenar y remojar en agua tibia con sal

Home style chicken mixiotes

Ingredients

1 chicken
1 large onion
12 pitted olives
7 ancho chilies
2 pasilla chilies
2 cloves garlic
1 tablet achiote seasoning paste
3 tablespoons vinegar
1 branch epazote
21 mixiote skins
salt and pepper to taste

Preparation

Wash chicken and cut through the bones into very small pieces. Toast the chilies lightly, remove the seeds and veins and soak in warm salted

40 minutos. Molerlos con la cebolla y los ajos. Sazonar las piezas de pollo con sal, pimienta y vinagre y macerar en la salsa. Remojar las hojas de mixiote por alrededor de dos horas o hasta que se ablanden. Extenderlas y cortar cuadros de alrededor de 25 cm. En cada cuadro poner una buena porción de pollo enchilado y de salsa, un trocito de achiote, una hoja de epazote y unos pedazos de aceituna. Tomar las puntas del mixiote, jalarlas hacia arriba y atarlas en forma de bolsitas. Es aconsejable usar dos hojas de mixiote por cada paquetito. Colocar los mixiotes en una vaporera, tapar y dejar cocer por media hora. Rinde ocho porciones.

water for 40 minutes. Blend with the onion and garlic. Season the chicken with salt, pepper and vinegar, pour the chili mixture over and leave to marinate. Soak the *mixiote* skins for about two hours or until they are soft. Open out and cut into 10-inch squares. Put a good portion of chicken and sauce on each and top with a piece of *achiote* paste, a leaf of *epazote* and a few pieces of olive. Gather the corners of the *mixiotes* together to make a pouch and tie. It is advisable to use two skins for each portion. Arrange the pouches in a steamer, cover and cook for 30 minutes. Serves eight.

Pato estilo Pátzcuaro

Pátzcuaro style duck

Ingredientes
1 pato tierno
2 zanahorias
1 elote
1 nabo
½ plátano macho verde
10 cebollitas de cambray
½ taza de aguardiente
1 hoja seca de elote
3 cucharadas de aceite
sal y pimienta al gusto

Ingredients
1 duckling
2 carrots
1 ear of sweet corn
1 turnip
½ green plantain
10 scallions
½ cup cane spirit
1 dried corn husk
3 tablespoons oil
salt and pepper to taste

Preparación

Lavar y escurrir el pato. Las patas, el pescuezo y las menudencias pueden usarse para hacer consomé. Mojar la hoja de elote en aguardiente, meterla en la cola del pato y encenderla. Volver a lavar el ave y sazonar con sal y pimienta. Pelar el nabo y las zanahorias y cortarlos en tiras delgadas. Cortar las cebollitas en medio dejando parte del rabo. Cortar el elote y el plátano sin pelar en rodajas. Rellenar el pato con estos ingredientes. Calentar aceite en una olla y freír el pato hasta que dore un poco por todos lados. Verter sobre él el aguardiente restante y una taza de agua. Tapar y cocer a fuego lento hasta que el pato esté tierno. De ser necesario se agrega un poco de agua. Rinde seis porciones.

Preparation

Wash the duck and drain well. The feet, neck and giblets can be used to make a consomme. Soak the corn husk in the cane spirit (reserve), insert into the duck's vent and set alight. Wash the bird again and rub with salt and pepper. Peel the carrots and turnip and cut into fine sticks. Cut the scallions in half with part of the green stalk. Slice the ear of corn and the unpeeled plantain into rounds and stuff them into the duck. Heat the oil in a deep pan and brown the duck on all sides. Pour the reserved cane spirit over the duck with one cup of water. Cover and cook over low heat until the duck is tender, adding a little water if necessary. Serves six.

Pechugas de pollo con rajas

Chicken breasts with chili strips

Ingredientes

6 pechugas de pollo
3 cucharadas de mantequilla
4 cucharadas de aceite
1 cebolla grande
1¼ de chiles poblanos
1 taza de leche
2 tazas de crema agria
100 gr de queso Chihuahua
sal y pimienta al gusto

Ingredients

6 chicken breasts
3 tablespoons butter
4 tablespoons oil
1 large onion
2½ lb poblano chilies
1 cup milk
2 cups sour cream
4 oz mild Cheddar, grated
salt and pepper to taste

Preparación

Quitar la piel y los huesos de las pechugas y cortar cada una en 4 filetes. Sazonarlas con sal y pimienta. Calentar el aceite y la mantequilla y saltear los filetes por ambos lados hasta que estén ligeramente dorados. Cortar la cebolla en rebanadas delgadas; en el mismo aceite acitronar la cebolla. Asar, desvenar y pelar los chiles poblanos, dejar tres aparte y cortar los demás en tiras finas. Agregar las rajas a la cebolla, tapar y dejar cocer por alrededor de ocho o diez minutos a fuego medio. Licuar los tres chiles que se apartaron con la leche y sal al gusto hasta que se forme una pasta suave, agregar la crema y licuar unos segundos más.

Colocar la mitad de los filetes de pollo en un refractario enmantequillado, colocar sobre ellos la mitad de las rajas y vaciarles la mitad de la salsa. Repetir la operación y hornear por 30 minutos a temperatura media, espolvorear con el queso rallado y seguir horneando hasta que éste se derrita. Rinde seis porciones.

Preparation

Skin the chicken breasts and remove bone. Cut each into four fillets. Season to taste with salt and pepper. Heat the oil together with the butter and fry the fillets on both sides until lightly browned. Remove. Slice the onion thinly and fry in the same fat until soft but not colored. Toast and peel the chilies and remove seeds and veins. Reserve three and cut the rest into narrow strips. Add the strips to the onion, cover and cook for about eight minutes over medium heat. Blend the three reserved chilies with the milk and salt until smooth; add the cream and blend for a few more seconds. Place half of the chicken fillets in a buttered ovenproof dish, cover with half of the chili strips and pour over half of the sauce. Repeat with the remaining chicken, chili strips and sauce. Bake in a medium oven for 30 minutes. Sprinkle with the cheese and bake until it has melted. Serves six.

Pechugas de pollo en nogada

Chicken breasts in walnut sauce

Ingredientes

6 pechugas de pollo
5 docenas de nueces de Castilla

Ingredients

6 chicken breasts
5 dozen walnuts

100 gr de queso blanco añejo
1 taza de crema espesa
1 lata de pimientos
2 cucharadas de vino blanco
sal y pimienta al gusto

4 oz queso añejo or dry Feta cheese
1 cup crème fraîche
1 can red bell peppers (pimentos)
2 tablespoons white wine
salt and pepper to taste

Preparación

Hervir las pechugas, una vez cocidas, escurrir, deshuesar y dejar enfriar. Pelar las nueces cuidando que no quede nada de la piel. Molerlas en licuadora junto con el queso, la crema, el vino, sal y pimienta al gusto.

Calentar el horno a temperatura media. Acomodar las pechugas en un molde para horno enmantequillado y bañarlas con la crema de nuez. Adornar con tiritas de pimiento y hornear 15 minutos. Rinde doce porciones.

Preparation

Poach the chicken breasts. When cooked drain, remove skin and bone and allow to cool. Peel the walnuts, taking care not to leave any of the brown skin on then blend with the cheese, *crème fraîche*, wine, salt and pepper. Heat the oven to medium temperature. Arrange the chicken breasts in a buttered ovenproof dish and pour the walnut sauce over. Garnish with strips of pimento and bake for 15 minutes. Serves 12.

Rollos de pollo y papa

Chicken in a potato crust

Ingredientes

3 pechugas de pollo
¼ kg de papas
2 jitomates grandes
100 gr de queso fresco
2 huevos
100 gr de pan molido

Ingredients

3 chicken breasts
½ lb potatoes
2 large tomatoes
4 oz queso fresco or Ricotta
2 eggs
4 oz fine dry breadcrumbs

1 lechuga
1 taza de aceite
sal y pimienta al gusto

1 iceberg lettuce
1 cup oil
salt and pepper to taste

Preparación

Hervir las pechugas y partirlas a la mitad; quitarles los huesos y la piel. Rebanar los jitomates. Hacer un puré con las papas y agregar un huevo ligeramente batido, sal y pimienta. Cubrir cada trozo de pechuga en ese puré, pasarlo por huevo batido y luego por el pan molido. Freír en aceite caliente, escurrir sobre unas servilletas de papel y colocar en un platón. Adornar con rebanadas de jitomate, la lechuga cortada finamente y el queso cortado en tiras. Rinde cuatro porciones.

Preparation

Poach the breasts, remove the skin and bones and cut in half. Slice the tomatoes. Mash the potatoes and add one lightly beaten egg, salt and pepper to taste. Coat each piece of chicken breast in potato, turn in the other beaten egg, and then in the breadcrumbs. Fry in hot oil, drain on kitchen paper and arrange on a serving plate. Garnish with tomato slices, shredded lettuce and fingers of cheese. Serves four.

Pollo a la poblana

Puebla style chicken

Ingredientes

4 piernas con muslo
1½ tazas de caldo de pollo
½ taza de aceitunas deshuesadas
2 cucharadas de mantequilla
1 cebolla picada
2 dientes de ajo
2 pimientos verdes
1 chile poblano
2 cucharadas de fécula de maíz

Ingredients

4 whole chicken legs
1½ cups chicken stock
½ cup pitted olives
2 tablespoons butter
1 onion, finely chopped
2 cloves garlic
2 green bell peppers
1 poblano chili
2 tablespoons cornstarch
2 tablespoons olive oil
1 cup tomato puree

2 cucharadas de aceite de oliva
1 taza de puré de jitomate
sal y pimienta al gusto

salt and pepper to taste

Preparación

Picar los ajos. Asar y desvenar los pimientos y el chile poblano, y luego cortarlos en tiras. En un sartén derretir la mantequilla, agregar el aceite y dorar las piezas de pollo. Retirarlas cuando estén listas y, en ese mismo aceite, freír el ajo, la cebolla, las rajas de poblano y de pimiento. Añadir la fécula de maíz y el puré de jitomate. Cocer un poco más, agregar el caldo, las aceitunas, sal y pimienta. Cuando la salsa haya espesado, agregar las piezas de pollo, cocer diez minutos más, o hasta que el pollo esté cocido. Rinde cuatro porciones.

Preparation

Chop the garlic finely. Toast the bell peppers and chilies, remove seeds and veins then cut into narrow strips. Melt the butter in a skillet, add the oil and brown the chicken pieces. Remove. Fry the garlic, onion, strips of bell pepper and chili in the same oil. Add the cornstarch and the tomato puree. Cook a little longer, add the stock, the olives and salt and pepper. When the sauce has thickened, add the chicken pieces. Cook ten minutes longer or until the chicken is done. Serves four.

Pollo al chipotle

Chicken in chipotle sauce

Ingredientes

12 piezas de pollo
½ piloncillo
1½ cucharadas de consomé en polvo
4 tazas de refresco de cola
2 dientes de ajo
½ jícama

Ingredients

12 chicken pieces
2 oz raw brown sugar
1½ tablespoons chicken stock powder
4 cups cola drink
2 cloves garlic
½ medium jícama

10 chipotles secos 1 cucharada de hierbas de olor ½ cebolla 1 taza de vinagre ½ taza de aceite de oliva	10 dry chipotle chilies 1 tablespoon mixed dried herbs ½ onion 1 cup vinegar ½ cup olive oil

Preparación

Picar la jícama. Rebanar la cebolla. Freír las piezas de pollo. Tostar los chipotles, desvenarlos y hervirlos en tres tazas de agua por diez minutos. Cambiar el agua y hervir 10 minutos más. Repetir la operación otra vez. Cuando los chiles estén tiernos, escurrirlos y colocarlos en tres tazas de agua con el piloncillo, el refresco de cola, las hierbas de olor, la cebolla y el ajo picados, el vinagre y el consomé. Hervir todo media hora, licuar y colar. En un sartén calentar el aceite y freír la salsa. Colocar las piezas de pollo en un refractario, bañarlas con la salsa, agregar la jícama picada y hornear 20 minutos. Si se seca agregar más refresco. Rinde seis porciones.

Preparation

Chop the jícama and slice the onion. Fry the chicken pieces. Boil the chipotle chilies in three cups of water for ten minutes. Change the water and boil for ten minutes longer. Repeat. When the chilies are tender, drain and put into three cups of water with the sugar, the cola, the herbs, chopped onion and garlic, the vinegar and the stock powder. Simmer for 30 minutes then blend and strain. Heat the oil in a skillet and fry the sauce. Arrange the chicken in an ovenproof dish, pour over the sauce, add the chopped jícama and bake for 20 minutes. If the dish begins to dry out add more cola. Serves six.

Pollo motuleño   Motul style chicken

Ingredientes	Ingredients
1 pollo de 2 kg aproximadamente 1 taza de frijoles refritos 100 gr de jamón	1 chicken 1 cup fried mashed beans 4 oz boiled ham 2 oz mild Cheddar cheese

75 gr de queso manchego
1 lata de chícharos de 400 gr
2 jitomates
1 naranja agria
1 chile ancho
1 chile serrano
1 pizca de orégano
1 comino
1 grano de pimienta
½ cebolla
2 aguacates
9 tortillas
aceite, el necesario
sal y pimienta al gusto

1 16 oz can of peas
3 tomatillos
1 Seville orange
1 ancho chili
1 serrano chili
pinch dried oregano
1 cumin seed
1 peppercorn
½ onion
2 avocados
9 tortillas
oil
salt and pepper to taste

Preparación

Hacer primero un recaudo: tostar y desvenar el chile ancho, remojarlo en agua caliente por 15 minutos y molerlo con la cebolla, el jugo de naranja agria, el comino, pimienta, sal y una pizca de orégano.

Cortar el pollo en cuartos y macerar en el recaudo. Después freír hasta que queden bien dorados. Asar el chile serrano y los jitomates, molerlos, colarlos y freírlos. Cortar una de las tortillas en cuartos y freír hasta que dore.

Freír también las restantes, dejándolas blandas. Colocar dos tortillas en cada plato y, sobre ellas, un cuarto de pollo bañado con la salsa de jitomate, los chícharos calientes y el jamón picado, coronarlos con frijoles refritos, rebanadas de queso y un cuarto de tostada. Rinde cuatro porciones.

Preparation

First make a seasoning mix: remove veins from the *ancho* chili and soak in hot water for 15 minutes then blend with the onion, juice of the orange, the cumin seed, peppercorn, salt and oregano. Cut the chicken into quarters and marinate in the seasoning mix. Brown the chicken in hot oil. Toast the *serrano* chili and the tomatoes; blend, strain and fry the sauce, Cut one tortilla into quarters and fry until crisp and golden. Fry the other tortillas, leaving them soft. Place two tortillas on each plate, top with a quarter of chicken napped with tomato, sauce, hot peas and chopped ham. Top with beans, slices of cheese, avocado slices and a quarter of crisp tortilla. Serves four.

16

Pescados y mariscos | Fish and Seafood

Camarones enchilados a la plancha

Ingredientes

½ kg de camarones gigantes
½ taza de vino blanco
100 gr de chile de árbol
1 cabeza de ajo
1 pizca de tomillo
4 limones
¼ litro de aceite de oliva
sal y pimienta al gusto

Preparación

El aceite de chile de árbol se prepara con una semana de anticipación: poner en un frasco el aceite de oliva y vaciar los ajos pelados y machacados y los chiles remojados con anterioridad.

Después bañar los camarones crudos y pelados con este aceite y dejar macerar media hora. Mojar los camarones en el vino mezclado con el jugo de los limones, sal y pimienta y asar en la plancha previamente engrasada y caliente, voltear para dorar por ambos lados. Rinde ocho porciones.

Broiled chili shrimp

Ingredients

1 lb raw giant shrimp
½ cup white wine
4 oz árbol chile
1 head garlic
1 pinch dried thyme
4 sour limes
1 cup olive oil
salt and pepper to taste

Preparation

The chili oil must be made a week before: put the olive oil, peeled and crushed garlic and the previously soaked chilies in a glass container. Peel the shrimps and marinate in the oil for 30 minutes then dip them in the wine mixed with lime juice, salt and pepper and broil on a greased hotplate, turning to brown both sides. Serves eight.

Crepas de camarón en chile pasilla

Ingredientes

¾ de camarones pequeños cocidos
12 crepas delgadas
¾ kg de jitomates
1 cebolla chica
6 chiles pasilla
1 taza de queso Chihuahua rallado
4 cucharadas de aceite
1½ de crema ácida espesa
½ cucharadita de azúcar
consomé en polvo al gusto

Preparación

Calentar el comal y tostar ligeramente los chiles. Dejar enfriar y quitarles las semillas y las venas. Licuar los chiles sin remojar junto con los jitomates y la cebolla hasta formar un puré suave. Calentar el aceite en un sartén, freír la salsa, añadir el azúcar y el consomé en polvo al gusto. Tapar el sartén y hervir a fuego lento 15 minutos. Dejar enfriar un poco. Mezclar la crema agria con la salsa y calentar sin que hierva.
Revolver los camarones con la salsa, rellenar las crepas y colocarlas en un recipiente previamente engrasado, agregar la salsa restante;

Shrimp crêpes in pasilla sauce

Ingredients

1¼ lb cooked small shrimp
12 crêpes
1¼ lb tomatoes
1 small onion
6 pasilla chilies
1 cup grated mild Cheddar cheese
4 tablespoons oil
1½ cups sour cream
½ teaspoon sugar
chicken stock powder

Preparation

Heat a griddle and toast the chilies lightly. Cool and remove the veins and seeds. Blend the chilies, without soaking, with the tomatoes and the onion into a smooth puree. Heat the oil in a skillet and fry the mixture, adding the sugar and stock powder to taste. Cover and simmer for 15 minutes. Cool slightly. Mix the cream into the sauce and heat without allowing to boil. Stir the shrimps into the sauce, fill the crêpes and arrange them in a greased ovenproof dish and pour over the remaining sauce. Sprinkle with the cheese and pour a few teaspoons of cream around the

rociar con queso rallado y unas cucharaditas de crema agria alrededor. Hornear a temperatura media hasta que el queso se derrita. Servir caliente. Rinde cuatro porciones.

sides. Bake in a medium oven until the cheese is melted. Serves four.

Charales en pasilla

Whitebait in pasilla sauce

Ingredientes

300 gr de charales
12 nopales tiernos
½ cebolla
3 dientes de ajo
6 chiles pasilla
2 chiles anchos
1 pizca de comino
3 cucharadas de manteca
1 cucharada de vinagre
sal y pimienta al gusto

Ingredients

11 oz whitebait
12 tender cactus pads (nopales)
½ onion
3 cloves garlic
6 pasilla *chilies*
2 ancho *chilies*
1 pinch powdered cumin
3 tablespoons lard
1 tablespoon vinegar
salt and pepper to taste

Preparación

Tostar un poco los chiles, desvenarlos y quitarles las semillas. Hervir en poca agua y moler con el ajo, la cebolla, el vinagre y el comino. Asar los nopales y cortarlos en cuadritos.

Freír los charales en manteca y retirarlos. En esa misma grasa freír la salsa agregando una taza de agua, los nopales, los charales, sal y pimienta al gusto y dejar hervir hasta que esté cocido. Rinde seis porciones.

Preparation

Toast the chilies lightly, remove the veins and seeds. Boil in a little water then blend with the garlic, onion, vinegar and cumin. Toast the cactus pads and cut into small squares. Fry the whitebait in lard, remove and drain. Fry the sauce in the same fat, adding a cup of water, the cactus, whitebait, salt and pepper. Simmer until cooked through. Serves six.

Filete de pescado en salsa roja

Ingredientes

4 filetes de pescado
6 dientes de ajo
1 cebolla
6 chiles pasilla
4 chiles mulatos
4 cucharadas de vino blanco
2 cucharadas de harina
2 cucharadas de aceite
sal y pimienta al gusto

Preparación

Tostar ligeramente los chiles, desvenarlos y hervirlos en poca agua. Licuar los ajos y la cebolla. Colar. Lavar los filetes, escurrir, secar y pasar por harina.

Freír la salsa en dos cucharadas de aceite, agregar el vino, sal y pimienta al gusto y los filetes. Dejar cocer a fuego lento por 10 o 15 minutos, hasta que el pescado se cueza. Rinde seis porciones.

Huachinango a la veracruzana

Ingredientes

1 huachinango grande
1 kg de jitomate

Fish fillets in red sauce

Ingredients

4 fish fillets
6 cloves garlic
1 onion
6 pasilla chilies
4 mulato chilies
4 tablespoons white wine
2 tablespoons all-purpose flour
2 tablespoons oil
salt and pepper to taste

Preparation

Toast the chilies lightly, remove veins and seeds and boil in a little water. Blend the garlic and onion, strain. Rinse the fish fillets, drain, pat dry with paper towels and roll in the flour. Fry the sauce in the oil, add the wine, salt and pepper and the fillets. Simmer for 10 or 15 minutes or until the fish is cooked to taste. Serves six.

Red Snapper Veracruz Style

Ingredients

1 large red snapper
2 lb tomatoes

247

50 gr de alcaparras 100 gr de aceitunas 2 cebollas medianas 10 chiles largos en vinagre 4 cucharadas de aceite de oliva ¼ taza de vino blanco sal y pimienta al gusto	2 oz capers 4 oz olives 2 medium onions 10 largo (güero) chilies in vinegar 4 tablespoons olive oil ¼ cup white wine salt and pepper to taste

Preparación

Limpiar el pescado y cortarlo en seis porciones. Licuar el jitomate. Cortar la cebolla en rodajas delgadas. Calentar el aceite en una cacerola y freír la cebolla. Agregar el jitomate, el vino, sal y pimienta al gusto. Mezclar y añadir las porciones de pescado, las alcaparras, las aceitunas y los chiles. Dejar hervir a fuego lento hasta que el pescado se cueza y la salsa espese. Rinde seis porciones.

Preparation

Clean the fish and cut into six. Blend the tomatoes. Cut the onions into thin rounds. Heat the oil in a pan and fry the onion, add the pureed tomato, wine, salt and pepper. Stir and add the portions of fish, capers, olives and chiles. Simmer until the fish is cooked to taste and the sauce has thickened. Serves six.

Pescado estilo Campeche

Campeche style fish

Ingredientes

2 huachinangos o meros medianos
½ taza de vino blanco
3 dientes de ajo
1 naranja agria
¼ cucharadita de chile seco molido o paprika

Ingredients

2 medium red snappers or groupers
½ cup white wine
3 cloves garlic
1 Seville orange
¼ teaspoon powdered chili or hot paprika

1 cucharada de semillas de achiote
1 pizca de orégano
sal y pimienta al gusto

1 tablespoon annatto seeds
1 pinch dried oregano
salt and pepper to taste

Preparación

Al pescado se le quita la cabeza y la cola, pero no las escamas. Limpiarlo abriéndolo de forma plana y dejándolo en una sola pieza. Tostar las semillas de achiote y licuarlas con sal y pimienta al gusto, el orégano, la cucharada de chile seco, los dientes de ajo, el jugo de naranja y el vino. Dejar el pescado en esta salsa por ocho horas o toda la noche.

Untar con aceite el lado de la carne y asar por diez minutos por dicho lado y luego 20 minutos por el lado de la piel. Rinde cuatro porciones.

Preparation

Cut the heads and tails off the fish but do not remove the scales. Slit and open out flat to clean inside. Toast the annatto seeds and blend with the salt, pepper, oregano, chili powder, garlic, juice of the orange and wine. Marinate the fish in this mixture for eight hours or overnight. Brush the open side with oil and broil on a hotplate for 10 minutes. Turn and cook for 20 minutes on the skin side. Serves four.

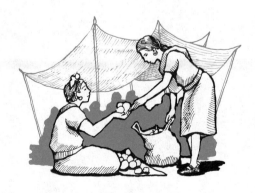

17

Postres | Desserts

Buñuelos

Fritters

Ingredientes

4 tazas de harina
4 cucharadas de azúcar
1 taza de leche
2 huevos
¼ taza de mantequilla
1 cucharadita de sal
1 cucharadita de polvo para hornear
unas gotas de vinagre
manteca, la necesaria
una mezcla de azúcar y canela

Ingredients

4 cups all-purpose flour
2 tablespoons sugar
1 cup milk
2 eggs
¼ cup melted butter
1 teaspoon salt
1 teaspoon baking powder
a few drops of vinegar
lard for frying
sugar and powdered cinnamon, mixed

Preparación

Batir los huevos y, siempre batiendo, aumentar la leche. Cernir juntos todos los ingredientes secos, a excepción de la mezcla de azúcar y canela, y añadirlos gradualmente sin dejar de revolver. Agregar la mantequilla derretida y unas gotas de vinagre. Poner la mezcla en una superficie enharinada y amasar suavemente hasta formar una masa suave y elástica. Dividir en 40 bolas pequeñas o en 20 grandes. Estirarlas hasta que queden delgadas y freír en manteca caliente para que doren por ambos lados. Escurrir sobre toallas o servilletas de papel. Rociar con la mezcla de azúcar y canela.

Preparation

Beat the eggs and add the milk, beating all the time. Sift the dry ingredients together, except the sugar and cinnamon mixture. Gradually stir in the dry ingredients, butter and vinegar. Put the mixture on a floured surface and knead gently into a smooth elastic dough. Divide into 40 small or 20 large balls. Roll out into thin circles and fry in the hot lard until golden on both sides. Drain on kitchen paper. Sprinkle with the sugar and cinnamon mix.

Cajeta de Celaya

Ingredientes

4 tazas de leche de cabra
4 tazas de leche de vaca
¾ cucharadita de fécula de maíz
¼ cucharadita de bicarbonato de sodio
2 tazas de azúcar morena

Preparación

Poner la leche de cabra y tres tazas y media de leche de vaca en una olla y dejar hervir. Mezclar la fécula de maíz, el bicarbonato de sodio y media taza de leche de vaca y verter sobre la leche hirviendo. Añadir gradualmente una y media tazas de azúcar y revolver hasta que se disuelva. Caramelizar la media taza de azúcar restante. Retirar la leche del fuego y agregar, poco a poco, el caramelo caliente.
Continuar cociendo la mezcla hasta que comience a espesar. Revolver con una cuchara de madera y dejar cocer hasta que la mezcla haga hilos y cubra la parte de atrás de la cuchara. Colocar la cajeta en un frasco o dulcera. Rinde aproximadamente un litro.

Celaya style caramelized milk

Ingredients

4 cups goat's milk
4 cups cow's milk
¾ teaspoon cornstarch
¼ teaspoon bicarbonate of soda
2 cups brown sugar

Preparation

Put the goat's milk and 3½ cups cow's milk in a pan and bring to the boil. Mix the cornstarch and bicarbonate of soda smoothly with the remaining ½ cup milk and pour into the boiling milk. Gradually add 1½ cups of sugar, stirring until dissolved. Caramelize the remaining ½ cup of sugar. Remove the milk from the heat and gradually stir in the caramelized sugar. Return to heat and cook the mixture until it begins to thicken. Stir with a wooden spoon and continue cooking until the mixture falls in a thread and will coat the back of the spoon. Pour the caramel into a jar or serving dish. Makes about 4 cups.

Cajeta de leche envinada

Ingredientes

6 tazas de leche de vaca
½ kg de azúcar
1 pizca de bicarbonato de sodio
3 yemas
½ taza de almendras peladas
½ taza de jerez dulce

Preparación

Poner la leche, el azúcar y el bicarbonato en una olla y calentar a fuego medio hasta que se haya derretido el azúcar. Subir la lumbre y hervir a fuego tan alto como sea posible durante 30 minutos. Enfriar tres cuartos de taza de la mezcla. Batir las yemas y añadirlas a esta mezcla fría.

Continuar hirviendo el resto hasta que espese. Revolver constantemente. Retirar del fuego y agregar la mezcla de yemas sin dejar de revolver. Continuar cociendo a fuego medio hasta que comience a separarse del fondo de la olla. Agregar las almendras picadas y el jerez. Dejar enfriar antes de servir.

Caramelized milk with wine

Ingredients

6 cups cow's milk
1 lb sugar
1 pinch bicarbonate of soda
3 egg yolks
½ cup blanched, chopped almonds
½ cup sweet sherry

Preparation

Put the milk, sugar and bicarbonate in a pan and heat over a medium flame until the sugar is dissolved. Turn the flame up to maximum and boil vigorously for 30 minutes. Remove and cool ¾ cup of the mixture, beat the egg yolks and add to the cooled milk. Continue to boil the other milk until it thickens. Remove from heat and add the yolks, stirring constantly. Return to heat and cook over a medium flame until the mixture begins to come away from the bottom of the pan. Add the almonds and sherry. Cool before serving.

Cajeta de piña y plátano

Ingredientes

1½ tazas de azúcar morena
4 tazas de agua
3 rajas de canela
1 piña de 2½ kg aproximadamente
1 kg de plátanos
1 limón

Preparación

En una olla poner el azúcar, el agua y una raja de canela. Dejar hervir a fuego fuerte por 20 minutos. Retirar la canela. Limpiar la fruta y cortarla en cuadritos, licuarla con el jarabe hasta formar un puré espeso. Verter la mezcla en un recipiente y agregarle la canela, la cáscara y el jugo del limón. Hornear de cinco a seis horas a temperatura media. De cuando en cuando raspar los lados del recipiente y remover bien la mezcla. Cuando espese, esté esponjosa y de una coloración café oscuro, pasar a un recipiente pequeño y glasear en el asador. Dejar enfriar. Rinde seis porciones.

Pineapple and banana paste

Ingredients

1½ cups brown sugar
4 cups water
3 sticks of cinnamon
5½ lb pineapple
2 lb bananas
1 sour lime

Preparation

Put the sugar, water and one stick of cinnamon in a pan and boil vigorously for 20 minutes. Remove the cinnamon. Peel the fruit, cut into small pieces and blend with the sugar syrup into a thick puree. Pour into a fairly shallow ovenproof dish and add the remaining cinnamon, the rind and juice of the lime. Bake in medium oven for five or six hours. Scrape the paste from the sides of the dish from time to time and stir well. When thick and dark brown, transfer to a small dish and glaze under a broiler. Leave to cool. Serves six.

Calabaza en tacha

Ingredientes

1 calabaza de 2 kg
1 kg de piloncillo
1 naranja
6 rajas de canela

Preparación

Cortar una tajada grande de la parte superior de la calabaza, como para formar una vasija y hacer unas rajaduras sin romperla. Envolver el piloncillo en un trapo y desbaratarlo golpeándolo con un martillo. Ponerlo en una cazuela junto con la canela, el jugo de naranja y cuatro tazas de agua. Colocar la calabaza boca abajo para que el interior se impregne con vapor endulzado. Tapar la cazuela y dejar hervir a fuego lento. Cuando esté cocida y la cáscara tenga una consistencia barnizada, retirar del fuego y dejar enfriar.

Pumpkin in syrup

Ingredients

1 pumpkin weighing 4 lb
2 lb piloncillo *or raw brown sugar*
1 orange
6 sticks cinnamon

Preparation

Cut a thick slice off the top of the pumpkin so as to leave a "bowl". Make several slits in the rind of the pumpkin without cutting completely through the flesh. If the sugar is in loaves, wrap in a cloth and break up with a hammer. Put in a pan with the cinnamon, juice of the orange and four cups of water. Place the pumpkin in the liquid cut side down. Cover the pan and simmer. When the pumpkin flesh is tender and the rind looks glazed, remove from heat and cool.

Capirotada

Ingredientes

2 tazas de piloncillo
1 raja de canela
1 clavo de olor

Mexican bread pudding

Ingredients

2 cups raw brown sugar
1 stick cinnamon
1 clove

6 bolillos cortados en cuadritos y tostados 3 manzanas 1 taza de pasitas 1 taza de almendras peladas y picadas 200 gr de queso añejo o fresco mantequilla, la necesaria	6 hard rolls, cubed and toasted 3 apples 1 cup raisins 1 cup blanched chopped almonds 9 oz Ricotta or Feta cheese butter as required

Preparación

Pelar y rebanar las manzanas. Combinar el azúcar con cuatro tazas de agua, la canela y el clavo de olor en una olla. Hervir hasta que la mezcla se convierta en almíbar. Retirar las especias y dejar enfriar. Enmantecar un molde para horno, cubrir el fondo con cuadritos de pan tostado y agregar alternadamente una capa de manzanas, pasitas, almendras y queso desmoronado y otra de pan. Repetir la operación hasta que se terminen los ingredientes. Verter el almíbar por encima y hornear a temperatura media por 30 minutos. Servir caliente. Rinde seis porciones.

Preparation

Peel and slice the apples. Combine the sugar with four cups of water, the cinnamon and clove in a pan. Cook into a syrup, remove the spices and leave to cool. Butter an ovenproof dish, cover the bottom with cubes of bread then fill the dish with layers of apple, raisins, almonds and crumbled cheese and another one of bread. Pour the syrup over and bake in a medium oven for 30 minutes. Serve hot. Yields six portions.

Cocada   ## Coconut dessert

Ingredientes	Ingredients
2 tazas de leche ¾ taza de azúcar 1 coco	2 cups milk ¾ cup sugar 1 coconut

el agua del coco
5 huevos
50 gr de mantequilla
una pizca de sal

coconut water
5 eggs
1 tablespoon butter
pinch of salt

Preparación

Derretir el azúcar en la leche a fuego lento, subir luego el fuego y dejar hervir. Cuando comience a espesar, revolver y dejar hervir 30 minutos. La preparación debe tener la consistencia de leche condensada ligera y haberse reducido a casi una taza.

Sacar el agua del coco y guardar aparte. Poner el coco entero en el horno por unos minutos. Abrir, separar la piel café con un pelador de papas y rallar la pulpa. Mezclarla con el agua de coco y dejar hervir a fuego alto por cinco minutos. Añadir la leche y continuar cociendo por otros cinco minutos. Dejar enfriar.

Separar la yemas de las claras y batir las primeras. Mezclarlas con el coco. Batir las claras a punto de turrón con una pizca de sal e incorporar a la mezcla.

Verter la preparación en un molde enmantequillado y cubrir con una tapa bien engrasada y colocar dentro de otro recipiente con agua. Cocer en la parrilla inferior del horno a temperatura media durante una hora y media. Enfriar. Rinde seis porciones.

Preparation

Dissolve the sugar in the milk over low heat, then increase heat and bring to the boil. When beginning to thicken, stir and cook for 30 minutes. The mixture should have the consistency of thinnish condensed milk and be reduced to one cup. Drain the water from the coconut and reserve. Bake the whole coconut in the oven for a few minutes. Crack open, prise out the meat and remove the brown skin with a vegetable peeler. Grate. Mix with the coconut water and boil vigorously for five minutes. Add the milk and cook for a further five minutes. Leave to cool. Separate the egg yolks from the whites and beat them, then mix into the coconut. Beat the whites into peaks with a pinch of salt and fold into the coconut mixture. Pour into a buttered mold, cover with a well greased lid and place in dish or pan of hot water. Bake at medium heat for 1½ hours on the lowest shelf of the oven. Cool. Serves six.

Chongos zamoranos

Ingredientes

4 tazas de leche
2 yemas
1 tableta de cuajo
1 taza de azúcar
canela en polvo

Preparación

Entibiar la leche y vaciarla en una olla. Añadir las yemas apenas batidas. Disolver la tableta de cuajo en un poco de agua y agregarla a la leche revolviendo tan poco como sea posible. Retirar del fuego y dejar que la preparación descanse en un sitio cálido. Tan pronto como la leche esté cuajada, cortar una X que llegue al fondo. Rociar con azúcar y canela. Colocar sobre fuego muy bajo con un comal de barro entre el fuego y la olla y cocer por alrededor de dos horas, sin permitir que hierva. En este lapso, el suero y el azúcar habrán formado un almíbar y cada uno de los trozos estará lo suficientemente sólido como para levantarse con una espátula. Enrollar los pedazos empezando por la punta. Cortar en trozos y colocar en una fuente transparente. Verter encima el almíbar. Rinde seis porciones.

Curds in syrup

Ingredients

4 cups milk
2 egg yolks
1 rennet tablet
1 cup sugar
powdered cinnamon

Preparation

Warm the milk and pour into a pan then add the very lightly beaten egg yolks. Dissolve the rennet tablet in a little water and add to the milk, stirring as little as possible. Remove the mixture from the heat but keep warm. As soon as the milk is clabbered cut an X through it. Sprinkle with the sugar and cinnamon. Set the pan over very low heat on a clay *comal* or a heat diffuser and simmer for about two hours without letting the mixture come to the boil. By this time the whey and sugar will have formed a syrup and the pieces of curds will be solid enough to be lifted out with a slotted spoon. Roll up the curd pieces, beginning with the pointed end. Cut into pieces, arrange in a glass dish and pour on the syrup. Serves six.

Dulce de camote

Ingredientes

1 kg de camotes amarillos
1 taza de azúcar
1 cucharadita de extracto de vainilla
1 cucharadita de canela molida
½ taza de nueces de Castilla sin cáscara
½ taza de frutas secas (manzana, chabacano y durazno)
¼ litro de ron oscuro
¼ litro de tequila
crema batida sin azúcar o crema ácida espesa

Preparación

Envolver los camotes en papel aluminio y hornear a temperatura baja hasta que estén suaves. Enfriar, pelar y machacar. En una olla poner el azúcar y un cuarto de taza de agua y cocer a fuego lento hasta que se disuelva. Subir el fuego y dejar hervir hasta que el almíbar forme hilos. Agregar la pulpa de los camotes y mezclar bien. Añadir el resto de los ingredientes; las nueces y la fruta seca deben ir picados. Dejar en el refrigerador por un mínimo de tres días. Después acomodar la mezcla en un platón para servir y acompañar con crema. Rinde seis porciones.

Yam dessert

Ingredients

2 lb yellow sweet potatoes (Louisiana yams)
1 cup sugar
1 teaspoon vanilla extract
1 teaspoon powdered cinnamon
½ cup walnuts, blanched and chopped
½ chopped dried fruit (apples, apricots and peaches)
1 cup dark rum
1 cup tequila
crème fraîche or heavy sour cream

Preparation

Wrap the yams in foil and bake in a low oven until tender. Cool, peel and mash. Put the sugar and ¼ cup of water in a pan and cook over low heat until the sugar has dissolved. Raise the heat and boil until the syrup forms threads then mix in the mashed yams. Mix in the rest of the ingredients and chill in the refrigerator for at least three days. Spoon into a serving dish and accompany with the cream. Serves six.

Flan de almendras

Ingredientes

2 tazas de leche
½ taza de azúcar
3 huevos
¼ taza de almendras molidas
1 cucharada de kirsch
1 pizca de sal
mantequilla, la necesaria
almendras tostadas y partidas a la mitad

Preparación

Hervir la leche, agregar el azúcar y doce almendras tostadas y cocer a fuego lento por 15 minutos. Dejar enfriar. Batir las claras con una pizca de sal a punto de turrón, agregar las yemas batidas y, luego, añadir la leche con las almendras molidas sin batir. Agregar el kirsch. Enmantecar un molde, vaciar la mezcla, tapar y cocer en la estufa a baño María hasta que la mezcla esté firme. Para servir desmoldar y adornar con el resto de las almendras tostadas. Rinde seis porciones.

Baked almond custard

Ingredients

2 cups milk
½ cup sugar
3 eggs
¼ cup ground almonds
1 tablespoon Kirsch
pinch of salt
butter
halved toasted almonds

Preparation

Scald the milk. Add the sugar and ground almonds and simmer for 15 minutes. Leave to cool. Beat the egg whites into peaks with the salt, add the beaten yolks and then fold into the almond flavored milk. Butter a mold, fill with the mixture, cover, place in a bain Marie and cook on the stove top until firm. Unmold and decorate with the toasted almonds. Serves six.

Gorditas de la Villa

Ingredientes

½ kg de maíz cacahuazintle cocido

"La Villa" griddle cakes

Ingredients

1 lb cooked white hominy
6 egg yolks

6 yemas
250 gr de azúcar molida
250 gr de manteca
1 cucharada de tequesquite

9 oz superfine sugar
9 oz lard
1 tablespoon powdered lime

Preparación

Poner el tequesquite en una taza de agua. Dejar que se asiente. Moler el maíz sin líquido y mezclar con las yemas, el azúcar y el agua necesaria de tequesquite para amasar bien. Volver a moler en el metate o procesadora. Formar tortitas de unos 5 cm de diámetro y cocer en el comal volteando de uno a otro lado. Rinde aproximadamente 30 gorditas.

Preparation

Put the lime in a cup of water and leave to settle. Grind the corn without any liquid in a food processor and mix with the beaten egg yolks, sugar and enough lime water to make a smooth dough. Grind again and knead in the lard. Shape into small cakes about two inches across and cook on a griddle, turning several times. Makes approximately 30.

18

COCINA FESTIVA | DISHES FOR SPECIAL OCCASIONS

Ponche navideño

Ingredientes

1 litro de aguardiente
6 litros de agua
150 gr de ciruelas pasas
150 gr de tejocotes
3 naranjas
2 guayabas
2 trozos de caña de unos 20 cm de largo
80 gr de nuez sin cáscara
2 rajas de canela
azúcar al gusto

Preparación

Cortar las cañas en tres pedazos y luego en tiras delgadas. Partir las guayabas y los tejocotes y poner a hervir todo junto con la canela, las ciruelas pasas, la nuez y el jugo de las naranjas. Cuando estén bien cocidas endulzar al gusto y agregar el aguardiente. Se sirve caliente.

Christmas punch

Ingredients

4 cups cane spirit (aguardiente)
24 cups water
5 oz prunes
5 oz tejocotes or very small apricots
3 oranges, the juice
2 guavas
2 six-inch sticks of sugarcane
3 oz pecans
2 sticks cinnamon
sugar to taste

Preparation

Cut each stick of sugarcane into three and then into narrow strips. Halve the guavas and *tejocotes* (or apricots) and boil with the cinnamon, prunes, coarsely chopped pecans and orange juice. When all the ingredients are well cooked, sweeten the punch to taste and add the cane spirit. Serve hot.

Sopa de habas

Ingredientes

200 gr de haba seca pelada
2 chiles pasilla

Dried fava bean soup (Lent)

Ingredients

7 oz skinless dried fava (broad) beans

½ cebolla 1 diente de ajo 2 jitomates 4 cucharadas de aceite de oliva 2 cucharaditas de sal	2 pasilla chilies ½ onion 1 clove garlic 2 tomatoes 4 tablespoons olive oil 2 teaspoons salt

Preparación

Hervir las habas en agua con sal hasta que se deshagan. Licuar la cebolla, el jitomate y el ajo, colar y freír esta salsa en aceite. Agregar las habas cocidas, pasadas por un colador y el agua de cocción. Desvenar los chiles pasilla, freírlos y antes de servir agregarlos enteros para darle sabor. Rinde cuatro porciones.

Preparation

Boil the beans in salted water until very soft and falling apart. Blend the onion, tomato and garlic, strain and fry in the olive oil. Add the beans, mashed through a sieve, and the cooking water. Remove the seeds and veins from the chilies, fry and add whole to the soup to flavor it. Serves four.

Nopales de vigilia

Nopales with shrimp (Lent)

Ingredientes ¼ kg de nopales limpios 2 huevos 100 gr de camarones secos 3 jitomates medianos 4 chiles cuaresmeños 1 cucharada de cebolla picada 1 cebolla de rabo 2 cucharadas de aceite	**Ingredients** ½ lb cactus pads (nopales) 2 eggs 4 oz dried shrimp 3 medium tomatoes 4 cuaresmeño chilies 1 tablespoon finely chopped onion 1 green onion 2 tablespoons oil

Preparación

Cortar los nopales en tiras y poner a cocer en agua con sal junto con la cebolla con rabo. Cuando estén tiernos escurrir y tirar la cebolla. Lavar los camarones y hervir en un litro de agua durante 25 minutos. Guardar el agua. Pelar y partir los camarones. Desvenar los chiles, quitarles las semillas y cortarlos en tiritas. Freír en aceite la cebolla picada y las rajitas de chile; cuando estén acitronadas, agregar el jitomate molido y los camarones. Dejar consumir el jugo de la salsa a la mitad y agregar el agua colada de los camarones. Hervir 15 minutos. Por último agregar los huevos ligeramente batidos y cocer hasta que cuajen. Rinde cuatro porciones.

Preparation

Cut the cactus pads into strips and boil with salt and the green onion. When tender, drain and discard the onion. Rinse the shrimp and boil in 4 cups of water for 25 minutes. Reserve the water. Peel the shrimp and cut in two lengthwise. Remove the veins and seeds from the chilies then cut into strips. Fry the chopped onion and the chili strips in the oil until the onion is transparent. Add the blended tomato and shrimp and continue cooking until the sauce is reduced by half then add the strained cooking liquid from the shrimps. Boil for 15 minutes. Finally add the lightly beaten eggs and simmer until they are set. Serves four.

Tortas de camarón en revoltijo

Shrimp fritters in mole (Lent, Easter)

Ingredientes

500 gr de camarón seco
1 kg de romeritos
12 nopales
8 papas
5 chiles anchos
2 chiles mulatos
1 chile pasilla

Ingredients

7 oz dried shrimp
2 lb romeritos *
12 cactus pads
8 potatoes
5 ancho *chilies*
2 mulato *chilies*
1 pasilla chili

---

* A (poor) substitute for romeritos could be finely shredded spinach or Swiss chard leaves cooked briefly.

¼ tableta de chocolate amargo
1 cebolla
2 dientes de ajo
1 rebanada de pan blanco
1 tortilla
2 huevos
50 gr de cacahuate
1 cucharada de semillas de ajonjolí
2 clavos
2 granos de pimienta gorda
1 raja de canela
5 cucharadas de aceite
1 pizca de bicarbonato de sodio
consomé en polvo al gusto

¼ tablet Mexican bitter chocolate
1 onion
2 cloves garlic
1 slice white bread
1 corn tortilla
2 eggs
2 oz peanuts
1 tablespoon sesame seeds
2 cloves
2 allspice berries
1 stick cinnamon
5 tablespoons oil
chicken stock powder to taste
pinch of bicarbonate of soda

Preparación

Cocer por separado las papas y los nopales, cuando estos últimos hiervan echar una pizca de bicarbonato. Ya cocidos, partir ambos en cuadritos. Tostar el ajonjolí, la tortilla, la rebanada de pan y los cacahuates. Desvenar los chiles, freírlos y licuar todo con la cebolla, el ajo, los clavos, el chocolate, la pimienta y la canela. Disolver en un litro de agua hirviendo, freír con aceite y sazonar con consomé en polvo.

Limpiar los camarones y tostarlos ligeramente. Agregar los nopales y las papas al caldillo, la mitad de los camarones y los romeritos, dejar hervir 20 minutos o hasta que los

Preparation

Boil the potatoes and cactus pads separately, adding the bicarbonate of soda to the pads when they are boiling. When tender, dice both vegetables. Toast the sesame seeds, tortilla, bread and peanuts. Remove veins and seeds from the chilies and fry. Blend all these ingredients with the onion, garlic, cloves, chocolate, allspice and cinnamon. Stir the mixture into 4 cups of boiling water, fry the sauce with two tablespoons of oil and season with the stock powder. Peel the shrimps then toast lightly. Add the nopales, potatoes, half of the shrimps and the romeritos to the sauce and

romeritos estén tiernos. Moler la otra mitad de los camarones y batirlos con los huevos. Formar tortitas y freírlas. Añadirlas al caldillo. Rinde 10 porciones.

cook for 20 minutes or until the *romeritos* are tender. Grind the remaining shrimps and mix with the beaten eggs. Shape into small cakes and fry, then add to the sauce. Serves ten.

Ensalada de Nochebuena

Ingredientes

8 betabeles medianos
1 kg de jícama
1 kg de naranja
1 kg de lima
½ kg de azúcar
150 gr de cacahuate
una lechuga orejona
sal al gusto

Preparación

Lavar y pelar los betabeles, cocerlos junto con el azúcar en un litro y medio de agua. Cuando estén cocidos, escurrir, guardar el agua y dejar enfriar. Pelar la jícama y cortarla en cuadritos. Lavar y pelar las naranjas y las limas, cortarlas en rodajas. Cortar los betabeles en cuadros. Poner todo en un recipiente, agregar una taza del agua en que se cocieron los betabeles y revolver con sal. Servir en platos, colocando lechuga rebanada y cacahuates sobre la ensalada. Rinde seis porciones.

Christmas Eve salad

Ingredients

6 medium beets
2 lb jícama
2 lb oranges
2 lb sweet limes
1 lb sugar
5 oz blanched peanuts
1 romaine lettuce
Salt to taste

Preparation

Wash and peel the beets then cook with the sugar in 6 cups of water. When tender drain, reserve the cooking water and leave to cool. Peel the *jícama* and dice. Peel the oranges and limes and cut into rounds. Dice the beets. Place everything in a large bowl, add one cup of the cooking water from the beets and stir in salt to taste. Serve on individual plates, top with shredded lettuce and garnish with peanuts. Serves six.

Carnitas

Ingredientes

1 ½ de lomo de puerco
1 kg de manteca de puerco
1 naranja
sal al gusto

Preparación

Partir la carne en trozos. Cortar la naranja en cuatro partes sin quitarle la cáscara. En una cacerola derretir la manteca hasta que quede oscura, agregar los trozos de carne, la naranja partida y sal. Cocer a fuego lento por una hora y media o hasta que esté casi seca. Servir con tortillas calientes, guacamole y frijoles refritos. Rinde seis porciones.

Fried pork pieces

Ingredients

3 lb pork tenderloin
2 lb lard
1 orange
salt to taste

Preparation

Cut the meat into 2-inch chunks. Cut the orange into quarters without peeling. Melt the lard in a deep pan and heat until dark then add the meat, orange and salt to taste. Cover and simmer for 1½ hours or until almost dry. Accompany with hot tortillas, guacamole and fried mashed beans. Serves six.

Birria

Ingredientes

2 piernas de borrego (sin muslo)
1 pecho de ternera
1 pecho de borrego
1 ½ kg de lomo de cerdo
1 kg de jitomate
3 cebollas
6 dientes de ajo
10 chiles cascabel
6 chiles anchos

Braised meat medley

Ingredients

2 lamb shanks
1 breast of veal
1 breast of lamb
3 lb pork tenderloin
2 lb tomatoes
3 onions
6 cloves garlic
10 cascabel chilies
6 ancho chilies
3 guajillo chilies

3 chiles guajillos
18 granos de pimienta
4 clavos de olor
1 cucharadita de orégano
¼ cucharadita de comino
¼ taza de vinagre
4 cucharadas de harina
sal, la necesaria

18 peppercorns
4 cloves
1 teaspoon oregano
¼ teaspoon cumin seeds
¼ cup vinegar
4 tablespoons all-purpose flour
salt as needed

Preparación

Hacer cortes que lleguen al hueso en los trozos de carne y frotarlos con sal. Calentar el comal y asar ligeramente los chiles anchos, guajillos y cascabel; voltearlos con frecuencia para que no se quemen. Quitarles las semillas y las venas y remojar en agua tibia 20 minutos. Ponerlos en la licuadora con la pimienta, los clavos de olor, el cuarto de cucharadita de orégano, el comino, el vinagre, media cebolla, los dientes de ajo y la sal. Licuar hasta que quede una pasta suave. Embadurnar con ella la carne y dejar sazonar por 12 horas.

En una olla que tenga tapa poner un poco de agua y una parrilla. Sobre ésta y justo encima del nivel del agua, colocar la carne. Sellar la olla con una pasta de harina y agua, hornear por cuatro horas y vaciar el jugo. Dejar enfriar, retirar la grasa y completar para que queden dos tazas de jugo.

Asar y moler los jitomates, agregar el jugo de la carne y dejar hervir.

Preparation

Make several cuts in the meat down to the bone and rub with salt. Heat a griddle and lightly toast the chilies, turning frequently to avoid burning. Remove the veins and seeds and soak in warm water for 20 minutes then blend into a smooth paste with the peppercorns, cloves, oregano, cumin, vinegar, half an onion, garlic and salt. Coat the meat thickly with the seasoning and leave for 12 hours for the flavors to penetrate. Put a rack in a deep lidded casserole and add water to just under its level. Arrange the meat on top, cover the casserole, seal the lid with a flour and water paste and braise in a medium oven for four hours. Pour off the liquid, cool, skim off the fat and add water if necessary to make up to two cups. Toast then blend the tomatoes, add the meat juices and bring to the boil. Pour the sauce over the meat and serve with the finely chopped onion and oregano. Serves eight.

Verter la salsa sobre la carne y servir con cebolla picada y orégano.
Rinde ocho porciones.

Manchamanteles

Ingredientes

1 guajolote de 2 ½ kg
50 gr de manteca
2 cebollas grandes
3 jitomates grandes
2 chorizos
8 chiles anchos
3 chiles pasilla
5 dientes de ajo
50 gr de almendra pelada
10 chiles jalapeños en vinagre
2 rebanadas de piña
2 peras
4 manzanas
2 plátanos machos
3 cucharadas de vinagre
6 pimientas gordas
3 clavos
1 bolillo
1 manojito de hierbas de olor
1 raja de canela
2 cucharadas de aceite
1 cucharada de azúcar
sal y pimienta al gusto

Fruit and poultry stew

Ingredients

1 turkey weighing about
5½ lb
2 oz lard
2 large onions
3 large tomatoes
2 chorizos or hot Italian sau-
sages
8 ancho chilies
3 pasilla chilies
5 cloves garlic, chopped
2 oz chopped blanched al-
monds
10 jalapeño chilies in vinegar,
chopped
2 slices pineapple
2 hard pears
4 apples
2 plantains
3 tablespoons vinegar
6 allspice berries
3 cloves
1 hard roll
1 small bunch dried herbs
(bay leaf, thyme, marjoram)
1 stick cinnamon
2 tablespoons oil
1 tablespoon sugar
salt and pepper to taste

Preparación

Limpiar el guajolote y partirlo en piezas, cocerlo con una cebolla partida en cuatro, las pimientas gordas, las hierbas de olor y sal. Guardar el caldo. Asar, desvenar y remojar los chiles secos. Freír el chorizo desmenuzado en la manteca y retirarlo, en esa misma grasa freír la cebolla finamente rebanada y, cuando acitrone, agregar los chiles molidos en el jitomate asado y pelado; las almendras picadas, la canela, los clavos, los ajos picados y el bolillo partido en cuadritos y frito.

Cuando reseque, agregar tres tazas del caldo de guajolote y las piezas cocidas, las frutas peladas y rebanadas, el chorizo, los chiles en vinagre picados, la cucharada de azúcar, el vinagre, sal y pimienta. Hervir hasta que sazone y espese. Rinde diez porciones.

Preparation

Clean the turkey and cut into serving pieces. Boil together with a quartered onion, the allspice, dried herbs and salt. Reserve the cooking water. Toast, devein and soak the *ancho* and *pasilla* chilies. Fry the crumbled sausage in the lard and remove, then fry the thinly sliced onion in the same fat. When transparent, add the soaked chilies blended with the toasted, peeled tomato, the almonds, cinnamon, cloves, garlic and the cubed and fried bread roll. When the mixture is dry add the turkey pieces with three cups of cooking water, the peeled, sliced fruit, fried sausage, the *jalapeño* chilies, sugar, vinegar, salt and pepper. Cook until the sauce thickens and the flavors are well blended. Serves ten.

Mole poblano

Ingredientes

1 guajolote de 2 kg
100 gr de almendras
10 gr de cacahuates
50 gr de pepitas de calabaza
1 tableta de chocolate amargo
12 chiles anchos
8 chiles mulatos
5 chiles pasillas
3 chipotles adobados

Puebla style Mole

Ingredients

1 turkey weighing about 4½ lb
4 oz almonds
4 oz peanuts
2 oz hulled squash seeds
1 tablet Mexican bitter chocolate
12 ancho *chilies*
8 mulato *chilies*

4 jitomates grandes
12 tomates
1 cebolla
3 dientes de ajo
3 cucharadas de semilla de chile
1 taza de semillas de ajonjolí
6 granos de pimienta
6 clavos
1 raja de canela
1 pizca de anís
3 tortillas
1 bolillo duro
2 cucharadas de vinagre
8 cucharadas de manteca
consomé en polvo al gusto

5 pasilla chilies
3 canned chipotle chilies (adobados)
4 large tomatoes
12 tomatillos
1 onion
3 cloves garlic
3 tablespoons chili seeds
1 cup sesame seeds
6 peppercorns
6 cloves
1 stick cinnamon
1 pinch aniseed
3 tortillas
1 stale hard roll
2 tablespoons vinegar
8 tablespoons lard
chicken stock powder to taste

Preparación

Hervir el guajolote, cuando esté cocido cortar en piezas y dorarlas en cuatro cucharadas de manteca. Hacer un puré con los jitomates asados y pelados y los chipotles, colarlo y agregarlo al guajolote. Una vez que sazone, agregar un litro del caldo.

Tostar el ajonjolí. Freír ligeramente los chiles en manteca, retirar y desvenar. En esa misma manteca freír el pan cortado en cuadritos, retirar, freír luego las tortillas, retirar y, por último y juntos, las semillas de chiles, las pepitas, el cacahuate, las

Preparation

Boil the turkey until tender, cut into pieces and brown in four tablespoons of lard. Toast and peel the tomatoes then blend with the *chipotle* chilies. Strain and add to the turkey. Cook until well flavored then add four cups of the cooking water. Toast the sesame seeds. Fry the chilies lightly in lard, remove, and devein. Fry the cubed bread roll in the same lard, remove, and fry the tortillas, remove these and finally fry together the chili seeds, squash seeds, peanuts, almonds, aniseed, cloves, peppercorns and

almendras, el anís, los clavos, la pimienta y la canela. Moler todo junto con unas gotas de agua. Agregar los tomates asados, la cebolla y el ajo. Moler nuevamente y cocer a fuego lento añadiendo, poco a poco, un litro del caldo. Dejar que espese revolviendo constantemente. Agregar a este mole las piezas de guajolote junto con el caldo de jitomate y chipotle en el que se sazonó revolviendo bien.

Machacar el chocolate hasta que se convierta en polvo fino y agregar al mole. Cuando espese retirar del fuego y añadir el vinagre y una cucharada de manteca quemada. Servir una pieza de guajolote en cada plato con mole en abundancia, rociado con semillas de ajonjolí. Rinde catorce porciones.

cinnamon. Blend all these ingredients together with a very little water. Add the toasted tomatillos, onion and garlic. Blend again and cook over low heat, gradually adding four cups of turkey stock. Simmer until thickened, stirring constantly. Add the turkey pieces with tomato and chipotle sauce turning gently but thoroughly. Crush the chocolate into a fine powder and add to the *mole*. When it thickens, remove from heat and add the vinegar and a tablespoon of lard heated to smoking point then cooled slightly. Serve a portion of turkey on each plate with plenty of sauce and sprinkle with sesame seed. Serves fourteen.

Bacalao a la mexicana

Mexican style dried codfish (Christmas, Easter)

Ingredientes

1 kg de bacalao seco
10 chiles pasillas
6 chiles guajillos
5 chiles anchos
6 dientes de ajo
1 cebolla grande
1 lata de pimientos morrones de 400 gr
25 aceitunas deshuesadas

Ingredients

2 lb dried cod
10 pasilla chilies
6 guajillo chilies
3 ancho chilies
6 cloves garlic
1 large onion
1 16 oz can red peppers (pimentos)
25 pitted olives

1 cucharada de aceite
pimienta al gusto

1 tablespoon oil
pepper to taste

Preparación

Remojar el bacalao en bastante agua desde la noche anterior. Al día siguiente, hervir ligeramente en poca agua, sin sal. Enfriar, escurrir y desmenuzar, retirando todas las espinas.

Tostar ligeramente los chiles, desvenarlos y quitarles las semillas. Hervirlos en poca agua, molerlos con el ajo y la cebolla. Colar. En una cucharada de aceite, freír la salsa, agregar el bacalao, las aceitunas partidas en dos, los morrones escurridos y cortados en cuadritos y pimienta al gusto, dejar hervir 10 minutos. Rinde ocho porciones.

Preparation

Soak the fish overnight in plenty of water. Next day poach in water just to cover and when it flakes easily remove from heat and allow to cool. Drain then shred, removing any bones. Toast the chilies lightly, remove the veins and seeds then boil in a little water and blend with the garlic and onion. Strain. Fry the sauce in one tablespoon of oil then add the fish, olives, the drained, diced red peppers and pepper to taste. Heat for ten minutes. Serves eight.

Impreso en:
Repeticiones Gráficas, S.A. de C.V.
Pacífico 312, Col. Rosedal, Coyoacán
04330 - México, D.F., Febrero, 2000